LA COURONNE DE SANTINA

Scandales et passions au sein d'une principauté

Un scandaleux mariage

Alessandro. Il est appelé à régner un jour.
Allegra. Son nom est synonyme de scandale.
Leur histoire d'amour défraie la chronique, et leur mariage scandalise le gotha.

Deux clans que tout sépare…

Les Santina. Les Jackson. Les premiers, fiers de leur lignée, sont issus de la plus haute aristocratie. Les seconds appartiennent au monde des affaires et du luxe. A priori, ils n'ont rien en commun.

… liés par la passion

Ils sont pourtant prêts à renoncer à tous leurs privilèges … par amour!

La Tribune de Santina

Mariage et scandales à la principauté

A peine annoncées, les noces princières d'Alessandro et Allegra créent la polémique !

Depuis la publication officielle des bans du mariage qui unira Son Altesse Royale le prince Alessandro à la sublime Allegra Jackson, la principauté de Santina est devenue le centre du monde. Tous les médias de la planète ont accouru sur l'île de Santa Maria où se tiendront les festivités, pour assister à ce qui s'annonce comme l'événement de la décennie, voire du siècle ! Mais tandis que des messages de félicitations affluent de tous les continents et que les sujets de la Couronne se réjouissent de ce conte de fées contemporain, de mauvaises langues, au sein même du gotha, s'élèvent déjà pour dénoncer une mésalliance – fustigeant le clan Jackson, la famille de la future princesse, dont les frasques ont maintes fois fait la une de la presse à sensation. Une source proche des Santina prétend que des dissensions sont déjà apparues entre certains membres des deux familles, et souligne l'impossible conciliation entre les valeurs aristocratiques de notre prince et les origines roturières de sa promise. Ces critiques au vitriol réussiront-elles à assombrir le bonheur des fiancés ? Ou pire, les feront-elles renoncer à leur engagement ? Nous le saurons très vite...

La Tribune de Santina

Le défi de Matteo Santina

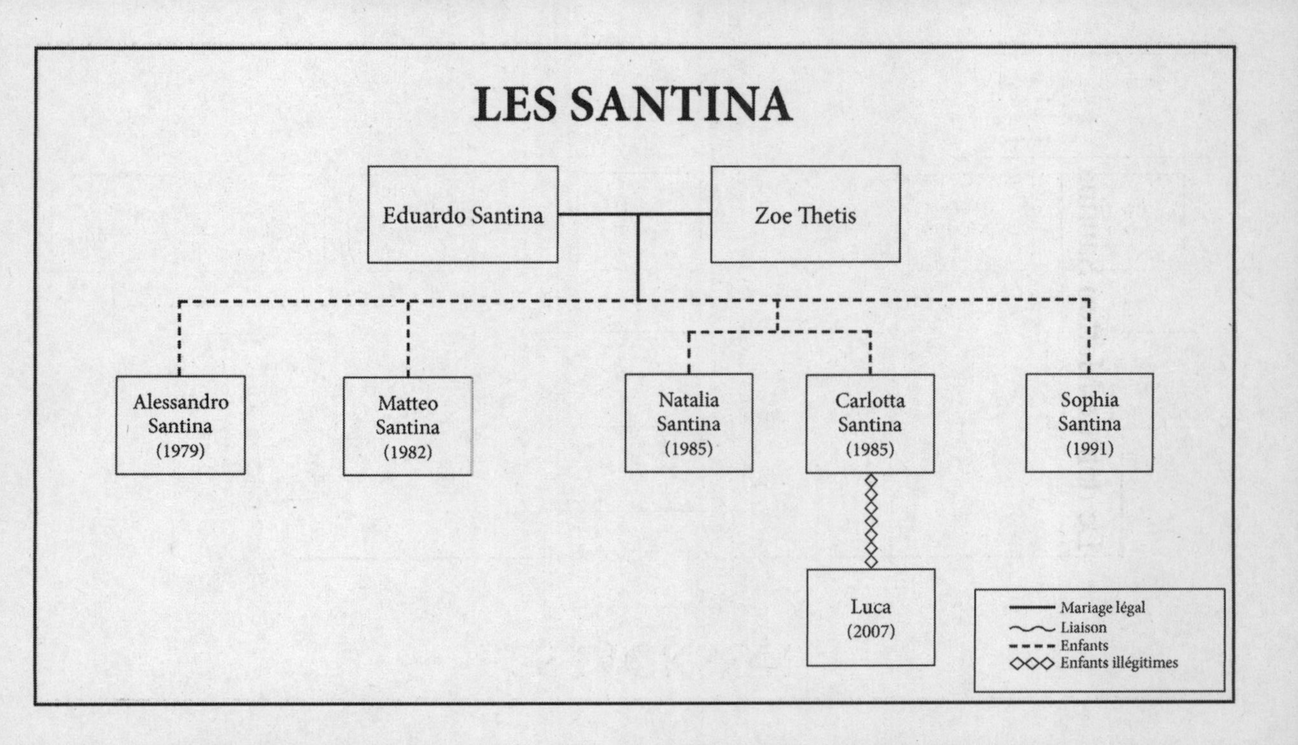
LES SANTINA
Eduardo Santina
Zoe Thetis
Alessandro Santina (1979)
Matteo Santina (1982)
Natalia Santina (1985)
Carlotta Santina (1985)
Sophia Santina (1991)
Luca (2007)
Mariage légal
Liaison
Enfants
Enfants illégitimes

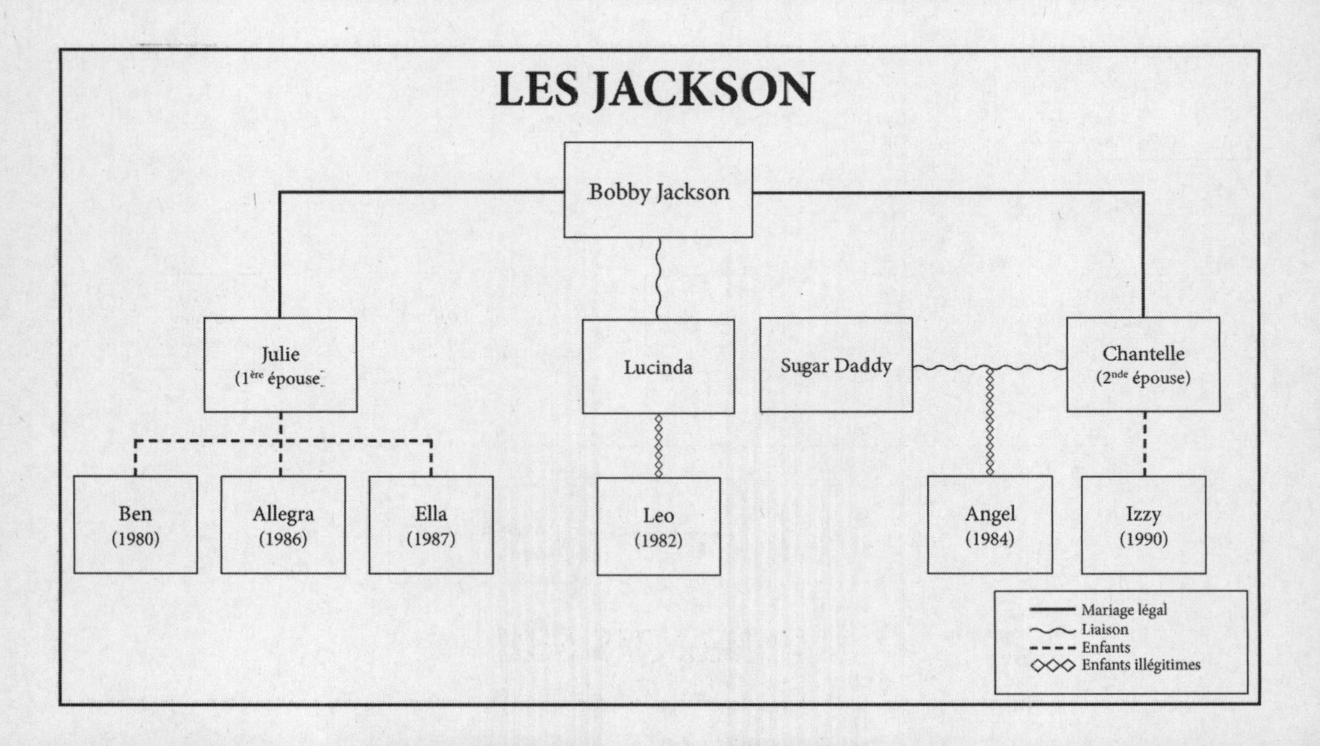
LES JACKSON
Bobby Jackson
Julie
(1ère épouse
Lucinda
Sugar Daddy
Chantelle
(2nde épouse)
Ben
(1980)
Allegra
(1986)
Ella
(1987)
Leo
(1982)
Angel
(1984)
Izzy
(1990)
Mariage légal
Liaison
Enfants
Enfants illégitimes

SARAH MORGAN

Le défi de Matteo Santina

collection Azur

éditions HARLEQUIN

Collection : Azur

Cet ouvrage a été publié en langue anglaise
sous le titre :
DEFYING THE PRINCE

Traduction française de
LOUISE LAMBERSON

HARLEQUIN®
est une marque déposée par le Groupe Harlequin

Azur® est une marque déposée par Harlequin S.A.

83-85, boulevard Vincent-Auriol, 75646 PARIS CEDEX 13.

Service Lectrices — Tél. : 01 45 82 47 47

www.harlequin.fr

ISBN 978-2-2802-7975-8 — ISSN 0993-4448

1.

Le prince Matteo, deuxième dans l'ordre de succession au trône de Santina, observait la jeune femme avec incrédulité. Après être montée sur la scène sans y avoir été invitée, elle flirtait outrageusement avec le chanteur de l'orchestre local, sélectionné avec soin par les officiels du palais.

Non seulement elle faisait preuve d'un exhibitionnisme éhonté, mais elle avait dû mal lire son carton d'invitation, où était précisé le code vestimentaire exigé pour la soirée. Vêtue d'une robe pailletée rouge vif, elle lui faisait penser à un coquelicot déposé par le vent au milieu d'un parterre de roses blanches. Tout en elle était aguicheur : ses escarpins à bouts ouverts et aux talons d'une hauteur vertigineuse, sa robe bustier trop courte, sa bouche vermillon…

Lorsqu'elle rejeta son opulente chevelure en arrière, dévoilant ses épaules nues, Matteo sentit presque la texture de sa peau sous ses paumes, son goût sur ses lèvres : un goût de fraise. Avec cette masse de cheveux blond clair aux légers reflets rosés, ces seins ronds se dressant fièrement sous le tissu écarlate, ces lèvres pulpeuses, cette femme était un fruit gorgé de soleil, mûr et juteux. Mais pas de ceux servis dans les coupes en cristal du palais, non : une fraise sauvage comme celles qui poussaient en abondance autour de son *palazzo*, sur la côte occidentale et accidentée de l'île.

A cet instant, cette bouche sensuelle s'arrondit en un sourire si sexy que Matteo sentit son désir fuser avec une intensité qui le choqua. Non seulement il se montrait toujours très sélectif envers les femmes, mais d'habitude il restait insensible à leurs roueries.

Il se tourna vers son frère aîné.

— Vu son manque total de savoir-vivre, je suppose qu'elle fait partie du clan Jackson.

Alex leva sa coupe de champagne.

— Oui, c'est la demi-sœur d'Allegra.

En réalité, Matteo n'avait pas eu besoin de cette confirmation pour être certain qu'elle était une Jackson.

— Ce mariage est censé renforcer la réputation de la monarchie, pas l'anéantir. Pourquoi fais-tu cela ?

— Je l'aime, répondit celui-ci en regardant sa fiancée.

Allegra Jackson resplendissait, dans une robe rouge elle aussi, mais beaucoup plus sobre que celle de sa demi-sœur.

— Et elle m'aime, poursuivit Alex.

— T'aimerait-elle si tu n'étais pas prince ?

— Tu es bien dur avec moi, Matteo…

— Je suis franc.

Matteo ne s'excusa pas. Dès son plus jeune âge, il avait appris à se méfier de la nature humaine. La leçon avait été très dure, mais également très efficace.

— Ce qui se passe entre Allegra et moi est différent.

— Tu en es sûr ?

Sans réfléchir, Matteo baissa les yeux sur sa main gauche, sur la déviation visible de son index gauche et la fine ligne blanche allant de son poignet à la jointure du doigt.

Il sentit sa poitrine se serrer tandis que, l'espace d'un instant, il se revoyait à terre, le visage enfoncé dans la poussière, sentant le sang couler sur sa peau. Après avoir failli perdre la vie à cause de ses erreurs, Matteo avait compris que ses relations avec autrui, et surtout avec les femmes, en resteraient marquées à jamais. L'amour existait-il seulement ? Il n'en savait rien. Tout ce qu'il savait, c'est que ce genre de sentiment était exclu pour lui.

— Je n'ai pas encore rencontré de femme capable de faire la différence entre l'homme et le titre.

— Pourtant, tu en as connu beaucoup, répliqua Alex d'un ton ironique. Tu fais grand cas de la réputation des

Jackson, mais la tienne n'est pas intacte, que je sache : kyrielle de maîtresses, liaisons ultrabrèves, voitures rapides, avions supersoniques…

— Plus maintenant. C'est fini.

— Il n'y a pas si longtemps que je t'ai vu au volant d'une voiture de sport, en compagnie de la ravissante Katarina.

— Je parlais des avions supersoniques, corrigea Matteo. Et, auparavant, nous parlions de tes fiançailles…

— Non, tu me lançais un *avertissement.* As-tu jamais fait confiance à une femme ?

Une seule fois.

— Tu me prends pour un imbécile ?

Toutes celles qu'il rencontrait avaient des idées derrière la tête. Toutes s'intéressaient à son titre, à son statut et à sa fortune. Jamais à l'homme qu'il était. Par conséquent, il ne faisait confiance à aucune d'entre elles. Et surtout pas à celle qui ondulait en ce moment même des hanches sur la scène.

La sensualité à l'état pur émanait d'elle, imprégnant l'atmosphère, songea Matteo en se demandant s'il était le seul à y être sensible.

Le roi Eduardo souhaitait voir son fils aîné revenir à Santina et y assumer ses responsabilités de prince héritier, certes. Mais le souhaitait-il au point d'approuver une union entre la famille royale et celle des Jackson ? Si tout le monde semblait se réjouir qu'un prince épouse une roturière, comment réagirait-on lorsque ce conte de fées moderne s'effondrerait ?

Toute cette histoire était une tragique erreur.

— Regarde ta future belle-sœur, dit-il. Elle ne recule devant rien pour attirer l'attention.

— Oui, mais elle est très sexy, reconnais-le.

Au moment où Matteo allait faire remarquer à son frère que son commentaire était étrange, vu qu'il allait épouser la sœur de celle qu'il trouvait *très sexy*, plusieurs membres de la tribu Jackson se rassemblèrent devant un tableau.

— Ils essaient sans doute de deviner le prix du Holbein, dit-il d'un ton acide.

Quand l'un d'entre eux lâcha d'une voix forte que les couleurs étaient un peu ternes, Matteo ferma brièvement les yeux en serrant les poings.

— Ils seraient incapables de faire la différence entre Michel-Ange et Michael Jackson, poursuivit-il avec mépris.

Se tournant vers Alex, il regretta soudain de ne pas entretenir de relation plus étroite avec lui.

— Tu devais épouser Anna. Que s'est-il passé ?

— Je suis tombé amoureux. Et je sais ce que je fais.

Il y avait eu une inflexion bizarre dans sa voix, songea Matteo. A moins que ce ne soit le fruit de son imagination. Il allait de nouveau interroger son frère lorsqu'il vit que la femme-fraise avait réussi à atteindre le centre de la scène. A cet instant, elle tourna la tête vers lui et le regarda fixement, tout en entonnant une chanson dédiée à sa sœur.

Du coin de l'œil, il aperçut Bobby Jackson, l'ancien footballeur dont la tapageuse vie amoureuse s'étalait dans la presse à sensation. Ce dernier monta à son tour sur la scène.

En effet, il était grand temps de réagir. Mais l'intervention de l'ex star du foot ne faisait que rendre la situation encore plus scabreuse.

— Viens, ma chérie, dit celui-ci en prenant sa fille par le bras.

Elle le repoussa, lui faisant presque perdre l'équilibre.

— Allons, sois sage, donne-moi le micro !

Il avait le visage de la même teinte que la robe de sa fille, constata Matteo avec dégoût. Pas étonnant, il avalait les coupes de champagne comme d'autres auraient bu de l'eau !

Jetant un coup d'œil dans la direction où se trouvait son propre père, Matteo vit que le visage du roi était d'une rigidité effrayante.

— Izzy ! fit Bobby Jackson en tentant de nouveau de saisir sa fille par le bras. Ce n'est pas le moment, je t'assure. Viens…

Mais oui, c'était Izzy Jackson, la chanteuse ayant connu une célébrité éphémère après avoir participé à une émission de télé-réalité. N'avait-elle pas fait les gros titres de la presse à scandale pour être apparue sur scène en Bikini ? C'était comme cela qu'elle avait acquis sa pseudo-célébrité : en s'exhibant, non en chantant. En fait, Matteo ne se rappelait même pas l'avoir entendue chanter une seule fois.

Apparemment, même sa propre famille préférait qu'elle ne chante pas en public, constata-t-il en regardant son père s'efforcer de lui faire quitter la scène. Mais elle résistait… Ses talons aiguilles plantés dans le sol, le menton redressé, les yeux étincelants, elle continuait à s'égosiller dans le micro.

— Rends-moi service, occupe-toi d'elle, glissa précipitamment Alex. Les journalistes doivent se concentrer sur Allegra et moi — sur nos fiançailles.

Matteo observa son frère en plissant le front.

— Tu peux me dire pourquoi ?

— Fais-le, Matteo. S'il te plaît.

— Très bien, je suis à tes ordres, dit-il à son frère avant de s'avancer vers la scène.

— *Il est le seul, le seul pour toi*, entonna Izzy.

Bon sang, juste au moment où elle réussissait à atteindre une note très haute pour sa voix de contralto, son père était venu essayer de lui arracher le micro !

Pourtant, ne lui avait-il pas toujours répété qu'il fallait saisir *toutes* les opportunités et en profiter au maximum ? Eh bien, les fiançailles d'Allegra représentant une opportunité en or, elle s'y était préparée avec soin. Son objectif du jour était d'interpréter la chanson qu'elle avait écrite pour le prince. Pas le charmant héritier au trône séduit par sa sœur, mais le frère de celui-ci, Matteo Santina, connu également du public sous le nom de Prince Ténébreux, à cause de son éternel sérieux.

Sérieux et sexy en diable, songea Izzy. Grand, sombre, sublimement beau et très riche… Mais ni son titre ni sa fortune ne l'intéressaient. Pas plus que son corps athlétique et sa réputation d'as de l'aviation. Si elle avait pris le prince Matteo pour cible, c'était uniquement à cause de sa Fondation. En tant que président de celle-ci, il régnait sur la programmation du célèbre *Rock'n'Royal Concert*, événement annuel retransmis par les télévisions du monde entier, et qui aurait lieu dans quelques semaines. La vocation de cette manifestation était de collecter des fonds destinés à soutenir les activités caritatives de sa fondation.

En participant à ce concert, Izzy réaliserait tous ses rêves — et sa carrière renaîtrait de ses cendres. Mais, d'abord, il lui fallait se faire entendre par le prince.

Après avoir écarté de nouveau son père, elle poussa sa voix au maximum, mais le prince ne l'écoutait toujours pas : il s'entretenait avec son frère, le fiancé d'Allegra.

Envahie par une terrible vague de désespoir et de déception, Izzy serra le micro entre ses doigts. Après avoir avalé pas mal de champagne pour se donner le courage de monter sur la scène, elle s'était imaginé que toutes les têtes se tourneraient vers elle, que les invités seraient fascinés dès qu'ils l'entendraient chanter. Que sa vie entière changerait en un clin d'œil et que tout son travail et sa persévérance se verraient *enfin* récompensés.

Les têtes étaient bien tournées vers elle, tout le monde la regardait, mais elle n'avait pas bu assez de champagne pour ne pas voir que si elle attirait toute l'attention, ce n'était pas à cause de sa voix. Elle s'était ridiculisée. Une fois de plus.

— *Ton seul amour…*, poursuivit-elle en souriant à un groupe de femmes qui la contemplaient d'un air hautain.

De son côté, son père s'évertuait toujours à l'entraîner de force. Même sa famille ne l'écoutait pas alors que le clan entier aurait dû la soutenir. Elle les adorait tous, mais ils semblaient la considérer comme une simple machine à karaoké.

— Ça suffit ! tonna son père.

Sa voix puissante résonna, son accent de l'East End contrastant avec les voix cultivées de la noble assemblée. La classe, ça ne s'achetait pas, Izzy le savait déjà. Elle savait également ce que pensaient ces aristocrates des Jackson.

— Contente-toi de chanter sous la douche, ma chérie, poursuivit Bobby. Tu es en train de te ridiculiser.

En réalité, ce qu'il craignait, c'était d'être ridiculisé, *lui*. Izzy aimait son père, en dépit de ses agissements contestables, mais il était tellement hypocrite, lui aussi !

Mais, au fond, elle-même était en grande partie responsable de ce fiasco, reconnut Izzy. Elle n'aurait jamais dû participer à cette stupide émission de télé réalité, *Singing Star*. Elle y était allée dans l'espoir de faire enfin entendre sa voix, mais ce qui avait intéressé les producteurs, c'était l'image qu'elle produisait sur scène, et son nom. Ensuite, ils l'avaient exploitée, lui faisant faire des choses stupides pour obtenir des records d'audience, sans jamais se préoccuper de sa voix ni de ses chansons. Elle était la fille de Bobby Jackson, cela leur suffisait. Quant à Izzy, aveuglée par ce moment de gloire fugace, elle n'avait rien vu venir.

Lorsqu'elle s'était réveillée, il était trop tard. Elle était devenue la risée du pays et la gloire s'était envolée en un éclair, emportant avec elle sa réputation. Et depuis, une étiquette infamante lui collait à la peau : elle restait « l'affreuse ringarde de *Singing Star* ».

Repoussant ces souvenirs désagréables, Izzy ferma les yeux tout en continuant à chanter. Perdue dans la musique, elle sentit tout à coup une main de fer lui saisir le poignet.

Choquée, elle rouvrit les yeux et rencontra un regard inamical et sombre. Celui du prince.

Un frisson brûlant la parcourut. D'aussi près, il était tout bonnement l'homme le plus sublime qu'elle ait jamais rencontré, et encore plus fabuleux en *live* que sur toutes les photos. Les caméras de télévision pouvaient capter l'épaisseur de ces cils bruns et la forme parfaite de cette bouche sensuelle, mais aucun objectif, même le plus puissant, n'aurait pu rendre la masculinité innée qui irradiait du prince Matteo.

— Cela suffit, dit-il d'un ton cinglant.

Puis il l'entraîna d'un mouvement si brusque qu'Izzy perdit presque l'équilibre à cause de ses fichus stilettos.

Sans dire un mot et sans la lâcher, il la fit descendre de scène avant de s'éloigner à grands pas.

Tout était fini… Son rêve tombait à l'eau. D'autre part, elle avait *vraiment* bu beaucoup de champagne. Pour rien.

— Qu'est-ce qu'il vous prend ? s'écria-t-elle en tentant de libérer son poignet. Je n'ai rien fait de mal ! Je chantais, c'est tout. Cela vous dérangerait de serrer un peu moins fort ? Je supporte très mal la douleur. Et puis, allez moins vite. Ces chaussures ne sont vraiment pas faites pour la marche.

Les invités la contemplaient d'un air tellement scandalisé que, finalement, elle se réjouit d'avoir bu tout ce champagne. Ça anesthésiait un peu la souffrance…

— Ils pensent sans doute qu'on devrait me couper la tête, chuchota-t-elle.

Le prince lui décocha un regard noir.

— Oups, je vois que ce n'est pas le moment de faire de l'humour, reprit-elle dans un frisson.

Dire qu'elle avait espéré que cet homme l'aide à relancer sa carrière ! A voir son attitude, il ne lui proposerait même pas un emploi de femme de ménage… Mais, au fond, Izzy se sentait fautive : elle avait mal chanté. Elle avait *forcé* sa voix.

— Vous êtes une invitée, pas un divertissement, dit-il d'une voix basse et tendue. Et vous êtes ivre.

Bien que l'anglais ne soit pas sa langue maternelle, il le parlait aussi bien qu'elle, remarqua Izzy. Mais toute ressemblance entre eux s'arrêtait là. Ses manières aristocratiques lui étaient échues à la naissance, avant d'être polies par une éducation réservée aux élites. Sa mère était un monarque ; la sienne avait tenu un étal sur un marché.

— Non, je ne suis pas ivre, riposta-t-elle. Du moins, pas vraiment. Et, de toute façon, c'est votre faute. Vous servez de l'alcool à flots, sans rien offrir à manger !

Regardant autour d'elle dans l'espoir de découvrir un visage ami, Izzy aperçut Allegra, mais celle-ci ne la regarda pas, manifestement désireuse de se démarquer d'elle. Consternée par cette trahison et blessée de constater que sa chanson-surprise, sur laquelle elle avait travaillé durant des semaines, n'avait soulevé aucun enthousiasme, elle perdit un instant courage.

— Très bien, vous avez raison : j'ai semé la pagaille. Lâchez-moi et je vous promets d'être aussi sage et ennuyeuse que les autres. Je resterai tranquille et parlerai de la météo ou de ce que vous voudrez, sans bouger un seul muscle du visage.

Tout en soupirant, Izzy voulut de nouveau se dégager, mais il ignora totalement ses tentatives et l'entraîna encore plus violemment, sous le regard surpris d'un valet. Quelques instants plus tard, le prince lui fit franchir une porte donnant sur une antichambre aux murs lambrissés, sur lesquels étaient accrochés une série de portraits.

— Arrêtez de me tirer comme ça ! Je ne peux pas marcher vite avec ces chaussures !

— Alors pourquoi les porter ? C'est ridicule.

— Je suis petite, répliqua Izzy en essayant désespérément de garder l'équilibre. Si je ne porte pas de talons, les gens ne me voient pas. J'essaie de faire sensation.

— Félicitations, vous avez réussi, fit-il avec dédain.

Se tournant vers les ancêtres qui la contemplaient d'un œil sévère, Izzy plissa les paupières.

— Pourquoi ont-ils tous l'air aussi sinistre ? N'y a-t-il personne d'heureux dans votre famille ? Si j'avais su, je ne serais jamais venue à cette soirée.

— Nous partageons tous votre sentiment, répliqua le prince en adressant un regard à un second valet en livrée.

Celui-ci s'inclina et referma la porte, les laissant seuls.

Les doigts du prince se resserrèrent alors sur le poignet d'Izzy et elle sentit la tension vibrer dans sa haute silhouette. Il était si grand qu'elle dut pencher un peu la tête en arrière pour le regarder. Aussitôt, elle sentit la tête lui tourner.

— Euh… Vous pourriez peut-être me lâcher, à présent ?

Il sentait bon, se dit-elle en fermant un bref instant les yeux. *Divinement* bon.

— Avec ces chaussures, je ne risque pas de m'enfuir, ajouta-t-elle.

Aussitôt il la lâcha avant de la toiser d'un air de mépris. A vrai dire, le prince était terriblement intimidant. Il était si sûr de lui. Evidemment, il ne s'était jamais retrouvé au sol, avant de devoir rassembler toutes ses forces pour se relever. Il respirait la puissance, ainsi qu'une autorité farouche. Sous son regard dédaigneux, Izzy se sentait aussi insignifiante qu'un grain de poussière. Sans parler des autres sensations qui l'avaient envahie, auxquelles elle préférait ne pas penser. Ce dangereux frémissement de désir au fond de son ventre, par exemple. Ou la chaleur brûlante qu'elle sentait encore sur sa peau, là où il avait refermé les doigts.

Se ressaisissant, elle s'avança d'un pas.

— Je suis montée sur scène pour chanter, c'est tout. Je n'étais pas nue, et je n'ai pas raconté de blagues douteuses. Mon seul but était que vous me remarquiez.

Il eut l'air profondément choqué.

— Vous avez utilisé les fiançailles de mon frère pour m'atteindre ? Votre attitude est d'une audace insensée !

— Ce n'est pas en restant en retrait qu'on arrive à quelque chose…, répliqua Izzy en se balançant d'un pied sur l'autre dans l'espoir de soulager un peu ses pieds. Je sais ce que je veux et je me concentre sur mes objectifs, poursuivit-elle.

— Des femmes se sont jetées sur moi dans les moments les plus incongrus, mais votre performance dépasse tout ce que j'ai vu jusqu'à présent.

— Elle les dépasse dans quel sens ? Positif ?

Pour toute réponse, il la contempla avec colère.

— Non, manifestement, reprit-elle. Bon, vous n'êtes pas intéressé ? Ce n'est pas grave. Et ce n'est pas la première fois que j'essuie un échec. Je m'en remettrai.

Fascinée malgré elle, Izzy le suivit des yeux tandis qu'il arpentait la pièce. En réalité, le prince dépassait largement sa réputation de sex-symbol…

— Vous ne pourriez pas vous arrêter ? J'ai le vertige.

— Combien de coupes de champagne avez-vous bues ?

La brusquerie du ton aurait dû chasser son trouble, mais au contraire elle ne fit que l'augmenter. Ayant soudain du mal à respirer, Izzy agrippa le dossier d'une chaise.

— Pas assez pour survivre à une soirée pareille, croyez-moi. Et ce n'est pas ma faute si tous ces gens en uniforme…

— Ces gens s'appellent des valets et ils portent une *livrée*…

— Oui, c'est ça… Ils remplissaient mon verre dès qu'il était vide, alors je n'ai pas dit non, pour n'offenser personne. En plus, j'avais soif parce qu'il fait chaud. Mais le pire, c'est qu'il n'y a que de minuscules amuse-gueules à se mettre sous la dent. Rien de pire que de boire à jeun !

Elle redressa les épaules.

— On dirait qu'on célèbre des funérailles, et non des fiançailles ! Alors j'ai essayé d'égayer un peu l'atmosphère, mais je vois que j'aurais mieux fait de rester tranquille.

Elle s'interrompit. Le visage viril du prince était si beau… Mais il bouillait de colère. Izzy la *sentait* sous le vernis sophistiqué d'homme du monde. Soudain, elle se demanda comment il réagirait si elle ôtait ses chaussures…

— Vous aviez tout prévu, n'est-ce pas ? fit-il d'un ton coupant.

— Oui. Chaque jour, je me fixe un objectif. Cela m'aide à garder ma concentration. Et aujourd'hui, c'était vous, mon objectif.

— *Madre de Dio !* Vous l'avouez ?

Qu'y avait-il de mal à se fixer des objectifs ?

— Oui, j'avoue mon crime, Votre Honneur.

— Tout est-il sujet de plaisanterie, pour vous ?

— Disons plutôt que je m'efforce de rire de tout.

— Vous ne savez pas vous comporter en public et ne possédez aucun tact. Si vous voulez être liée à notre famille, vous devrez apprendre à censurer vos propos.

— Vous voulez dire que je dois ressembler à ces femmes élégantes et coincées, avec leur sourire figé et leurs regards condescendants, qui disent le contraire de ce qu'elles pensent ? Désolée, mais ce n'est pas mon truc.

— Moi aussi, je suis désolé : puisque votre sœur va épouser le futur roi, vous devenez digne d'intérêt aux yeux du public.

— Vraiment ? Vous m'en voyez ravie.

Il fronça les sourcils d'un air sévère.

— Nous ne pouvons nous permettre aucune publicité négative et toute l'attention du public doit être concentrée sur Alex et Allegra. Par conséquent, vous devrez apprendre à rester à votre place, à vous comporter, et à vous *habiller*, de façon adéquate.

Lorsqu'il laissa errer son regard sur son corps, Izzy s'embrasa de la tête aux pieds. Dans les yeux du prince, il y avait de la désapprobation, certes, mais en même temps il y avait… une lueur dangereuse qu'elle ne parvenait pas à identifier.

— Ce n'est pas ma tenue qui cloche, c'est votre soirée. Aucun de vos nobles invités ne sait rire, ni danser ni s'amuser. Ces lustres en cristal sont très beaux, mais des boules disco, ça aurait donné un peu d'ambiance — vous savez, ces boules à facettes ?

— Vous vous trouvez dans un palais royal, pas dans une boîte de nuit.

— Vous voulez dire que je dois faire la révérence devant vous ?

— Oui, répondit-il avec une douceur inquiétante. Et lorsque vous vous adressez à moi, vous devez m'appeler : Votre Altesse.

Fascinée par l'angle sculpté de ses mâchoires et le dessin parfait de sa bouche sensuelle, Izzy entendit à peine les paroles du prince. Il devait embrasser à merveille… Une chaleur infernale déferla en elle et soudain, elle fut incapable de penser à autre chose qu'au sexe.

Durant quelques instants, ils se regardèrent en silence, puis le prince fronça les sourcils.

— Après la première fois, l'usage est de m'appeler simplement Monsieur.

— Après *la première fois* ? répéta Izzy, le cœur battant à tout rompre.

Par ailleurs, elle avait les lèvres tellement sèches qu'elle avait du mal à parler.

— Il n'y aura jamais de première fois, poursuivit-elle

en se ressaisissant. Même si j'étais désespérée, je ne coucherais pas avec vous !

Une expression exaspérée passa sur les traits du prince.

— Je parlais de la première fois que vous vous adressez à moi, de rien d'autre.

— Très bien. Maintenant tout est clair.

En réalité, Izzy était mortifiée : le malentendu avait germé uniquement dans *son* esprit, à cause des pensées torrides qui l'avaient traversée…

— Dois-je vraiment vous appeler *Monsieur* ? poursuivit-elle avec un sourire désinvolte.

Levant les yeux vers le tableau devant lequel se tenait le prince, Izzy fut aussitôt frappée par la ressemblance : les mêmes cheveux noirs coupés court, la même expression altière et sombre. *Le même air aristocratique.*

Pas étonnant qu'il soit aussi arrogant, songea-t-elle. Du sang royal coulait dans ses veines depuis des siècles alors qu'elle-même appartenait au commun des mortels. En outre, elle était le fruit de l'union de deux êtres qui s'étaient mariés par pur *intérêt*.

Dans l'espoir de retrouver son assurance, Izzy tenta d'ignorer son imposant interlocuteur, mais comment ne pas être impressionnée par sa formidable carrure ?

Le prince était terriblement séduisant, et follement sexy, fut-elle forcée de reconnaître en sentant de nouveau une chaleur importune se déployer dans son bas-ventre.

Ce devait être à cause du champagne : l'alcool exacerbait les sensations.

— Tout ce protocole ne vous rend pas fou ? reprit-elle. Personne ne sourit, ici. Tout le monde a le visage figé, comme ces statues de pierre devant lesquelles nous venons de passer.

— Ces statues de *marbre* valent une fortune et datent du XVe siècle.

— Elles sont si vieilles que cela ? Eh bien, je comprends qu'elles aient l'air aussi triste… Quant à faire la révérence, j'avoue que mes chaussures me font atrocement mal, alors j'essaie de bouger le moins possible. Si vous étiez une femme, vous comprendriez.

— Vous êtes la créature la plus absurde que j'aie jamais rencontrée. Votre comportement est révoltant et les gens comme vous représentent un véritable danger pour ma famille.

Izzy, qui s'était vue affublée de toutes sortes de qualificatifs dans sa vie, mais jamais de celui d'*absurde*, se sentit profondément vexée.

— Au contraire, c'est *votre* comportement qui est révoltant, riposta-t-elle. Vous éprouvez du plaisir à me montrer ma petitesse, n'est-ce pas ? Vous vous croyez supérieur, vous regardez tout le monde de haut ! Eh bien, moi, c'est le contraire, figurez-vous. Lorsque quelqu'un vient chez moi, je lui souris, je fais tout pour qu'il se sente à l'aise. Alors que vous... Franchement, j'ai été mieux accueillie dans certains *fast-food* ! Vous avez beau être prince, et terriblement sexy, vous ignorez tout du savoir-vivre le plus élémentaire.

Au moment où elle s'interrompait pour reprendre son souffle, la porte s'ouvrit et un domestique apparut, le visage blême.

— Le micro, Votre Altesse, dit-il d'une voix étranglée. Il est toujours allumé. Tout le monde vous entend...

2.

Mortifié à la pensée que sa famille et les invités aient pu entendre leur conversation, Matteo se repassa mentalement leurs paroles en retenant un juron : ils avaient parlé de *sexe*… Comment le propos avait-il pu déraper à ce point ?

Après avoir congédié le valet d'un bref signe de tête, Matteo prit le micro à Izzy puis coupa la connexion.

Cette fois, la jeune femme n'avait pas résisté. Il la regarda en s'attendant à voir une expression horrifiée sur ses traits, mais à sa grande surprise elle éclata de rire.

— Ce n'est pas drôle, laissa-t-il tomber d'un ton sec.

— Non, en effet.

Prenant conscience de l'incongruité de son attitude, elle pinça les lèvres, sans parvenir toutefois à s'arrêter de rire. Elle couvrit alors sa bouche d'une main avant de presser la seconde par-dessus. Mais cela ne fonctionna pas non plus et des larmes brillèrent dans ses yeux. Renonçant alors à lutter, elle se laissa aller à son fou rire.

En outre, elle ne riait pas seulement avec sa bouche et sa voix : elle riait avec *tout son corps*.

— Excusez-moi… Je suis vraiment désolée. Vous avez raison, bien sûr, ce n'est pas drôle du tout…

Matteo resta interdit, le regard rivé aux coutures de sa robe qui semblaient prêtes à céder.

La chaleur qui le consuma soudain le scandalisa et il se força à reprendre ses esprits. Cette femme était bien la dernière qui aurait dû émouvoir sa libido…

— Il faut voir le bon côté des choses, dit-elle en s'essuyant les yeux du bout des doigts. Et j'espère que vous allez maintenant nous commander des doubles burgers avec fromage, et une ration supplémentaire de frites.

Matteo réussit à garder son calme, mais à grand-peine. Toute femme décente aurait été atterrée par ce qui venait de se passer, mais pas Izzy Jackson.

— Vous êtes une véritable catastrophe ambulante.

De toute évidence, sa remarque peu élogieuse n'eut aucun effet sur elle.

— Oui, je sais. Je suis désolée.

Elle éclata de nouveau de rire avant de se mordre la lèvre.

— Ecoutez, poursuivit-elle en s'efforçant de reprendre son sérieux. Dites-vous plutôt que ç'aurait pu être pire. Imaginez un peu : si nous étions venus nous réfugier ici pour nous livrer à une partie de jambes en l'air en laissant le micro allumé ?

Comme elle accompagnait ses paroles de grands gestes, elle perdit l'équilibre et vacilla vers lui.

Matteo poussa un juron étouffé et lui prit les bras pour la stabiliser. Mais, au lieu de se redresser et de s'écarter, elle laissa tomber sa tête dans le creux de son épaule.

— C'est bon de souffler quelques instants, murmura-t-elle. Je regrette d'avoir bu tout ce champagne.

Ses cheveux dégageaient un parfum de fleurs sauvages, rappelant à Matteo les étés de son enfance.

— Moi aussi, je le regrette, répliqua-t-il, la gorge soudain serrée.

Les bras d'Izzy étaient nus, sa peau lisse et douce sous ses doigts. Il fallait qu'il la lâche. Tout de suite. Mais alors, elle s'effondrerait sans doute sur place.

A cet instant, elle se pressa contre lui.

— Je suis vraiment désolée, répéta-t-elle dans son cou. J'ai tout gâché et je comprends que vous soyez très fâché. Mais je préférerais que vous vous fâchiez en douceur, parce que je ne me sens pas trop bien, Votre Altesse… Euh… Monsieur.

— Vous méritez de ne pas vous sentir bien.

Matteo avait voulu lui parler d'un ton sévère, mais la façon dont elle s'était excusée, dont ses doigts fins agrippaient sa chemise, le touchait malgré lui. Alors que, d'ordinaire, il restait toujours imperméable à toute émotion dans ses rapports avec les femmes — surtout celles qui affichaient ouvertement leur avidité. Izzy Jackson n'avait-elle pas déclaré sans embarras qu'elle l'avait pris pour cible ?

— Vous êtes une catastrophe, Izzy Jackson, répéta-t-il.

— Je sais, acquiesça-t-elle de nouveau. Mais le pire, c'est que je n'y peux rien. Je voulais seulement vous impressionner…

— Vous espériez vraiment que votre petit plan allait fonctionner ? dit-il d'un ton brutal.

— J'espérais que, dès que vous poseriez les yeux sur moi, vous seriez fasciné. Mais je crois que je me suis trompée de robe. Côté image, c'était raté. Il faut que je reparte de zéro.

— Non, je vous en prie, dit Matteo en fermant un instant les yeux. Renoncez à cet objectif dès maintenant.

— Je ne renonce *jamais*. Si seulement je pouvais revenir en arrière et tout recommencer…

Matteo aurait pu lui dire que, quelle que soit sa tenue, il n'aurait pas été *fasciné*, ni même intéressé, mais la sensation de sa bouche frôlant son cou produisit un effet violent dans une autre partie de son anatomie.

— Vous ne regrettez jamais de ne pas pouvoir revenir en arrière ? continua-t-elle.

D'habitude, tout le monde s'adressait à lui avec circonspection : les gens marchaient sur des œufs en sa présence ; les hommes faisaient toujours preuve d'un respect scrupuleux ; les femmes lui souriaient, le flattaient et flirtaient. Mais sans jamais se hasarder à lui poser aucune question.

— Mademoiselle Jackson… Izzy.

— Oui ?

Elle redressa la tête avec effort, puis plongea son regard bleu abondamment souligné de khôl dans le sien.

Soudain, la fragrance de son parfum bouleversa les sens de Matteo et il vit la jeune femme nue, étendue sur un tapis de jacinthes des bois, cette somptueuse crinière auréolant son visage aux joues rosies par…

— Je ne voulais pas gâcher la soirée, je vous assure,

dit-elle d'une voix légèrement pâteuse. Vous êtes très en colère ? Vous allez m'enfermer dans le donjon avant de jeter la clé ?

Jamais Matteo n'avait eu autant de mal à se concentrer.

— Pour l'instant, j'hésite entre vous secouer et vous lancer de l'eau froide à la figure.

— Ce n'est pas gentil, répliqua-t-elle avec une moue enfantine. Ni pour moi ni pour le tapis. Vous ne pouvez pas trouver une autre idée ?

Ecraser sa bouche sur la sienne et l'embrasser jusqu'à en perdre le souffle...

Lui ôter cette robe indécente pour découvrir si le reste de son corps était aussi doux que ses bras...

Matteo laissa descendre son regard sur sa bouche au dessin parfait, aux lèvres pulpeuses, si appétissantes. La sienne s'en rapprochait malgré lui, quand la porte s'ouvrit.

Aussitôt, il repoussa Izzy sans ménagement et se retourna au moment où Allegra, la fiancée de son frère, apparaissait sur le seuil, le visage pâle.

Privée de son soutien, Izzy recula en titubant, l'air inquiet.

— Allegra, tu vas bien ?

— Izzy, comment as-tu osé ? demanda-t-elle d'une voix sourde. Qu'est-ce qu'il t'a pris ?

A vrai dire, Matteo se posait la même question : que lui avait-il pris ? Avait-il perdu la tête ? Si la fiancée d'Alex n'était pas survenue, Dieu sait jusqu'où il serait allé...

— Je chantais pour toi, répondit Izzy d'un air malheureux. J'avais écrit cette chanson...

— Je ne parlais pas de la chanson, l'interrompit Allegra. Même si tu nous as mis dans un embarras épouvantable : on ne s'empare pas du micro comme tu l'as fait, Izzy. Je parlais de la façon dont tu as parlé à Son Altesse.

Elle se tut un instant avant de s'incliner avec respect devant Matteo.

— Je vous demande pardon, Monsieur. Ma sœur n'a pas l'habitude de fréquenter des membres de la famille royale.

— Je l'avais compris.

En fait, c'était précisément sa fraîcheur et son irrespect

qui avaient rendu sa sœur aussi attirante, reconnut-il en son for intérieur.

— Ne vous excusez pas pour moi, intervint Izzy. S'il faut m'excuser, je peux le faire moi-même.

— *S'il le faut ?* enchaîna Allegra en plissant le front d'un air sévère. Bien sûr que tu dois t'excuser ! Si toute cette histoire est étalée dans la presse demain, tu devras même sans doute le faire publiquement.

Izzy referma les bras sur sa poitrine en un geste autoprotecteur.

— De toute façon, ils racontent ce qu'ils veulent, que ce soit vrai ou pas, je m'en fiche. Et, d'habitude, tu t'en fiches aussi.

— Eh bien, je ne m'en fiche plus, maintenant ! Ta conduite va alimenter les ragots concernant les Jackson. C'est toujours terrible mais, cette fois, ce sera doublement embarrassant parce qu'à cause de toi la famille royale est impliquée. Cette soirée de fiançailles avait pour but de présenter la famille Jackson au peuple de Santina. Au lieu de gros titres aimables, nous allons avoir droit à quelque chose du style : « J'ai été mieux accueillie dans certains fast-food qu'au palais royal ! »

Allegra adressa un regard mortifié à Matteo.

— Je n'ai fait que chanter, riposta sa sœur, toute raide sur ses talons aiguilles. Ce n'est quand même pas un crime !

— Il y avait déjà un chanteur, et tu l'as poussé pour prendre sa place ! Il faut que tu renonces à cette stupide obsession et te trouver un *vrai* travail !

— Chanter me convient tout à fait.

— C'est un rêve, et les rêves n'ont jamais payé les factures.

Pendant quelques instants, un silence pesant envahit la pièce, rompu seulement par le tic-tac de l'horloge ancienne trônant sur le manteau de la cheminée.

— Il y a des gens qui réussissent à vivre de leurs rêves, dit enfin Izzy, le visage blême.

— Combien ? Des milliers, des millions essaient, mais seuls une poignée y parviennent. Cesse de te leurrer, Izzy. Regarde autour de toi.

— Si on renonce, ça ne peut pas marcher, forcément. Et je ne renoncerai pas, répliqua sa sœur en redressant le menton.

— Pour gâcher toute ta vie ? Eh bien, gâche-la si tu veux, Izzy, mais je t'en supplie, ne gâche pas la mienne.

A présent, Izzy semblait anéantie et près de s'effondrer.

— Ce n'est pas ma faute si la presse me poursuit, dit-elle d'une voix brisée. Je ne leur ai rien demandé.

Perchée sur ses hauts talons, elle oscillait comme un roseau balancé par le vent, si bien que Matteo se prépara à bondir pour la rattraper.

— Je m'en occupe, Allegra, dit-il. Vous pouvez nous laisser.

Un soulagement visible passa sur les traits de sa future belle-sœur, mais Izzy, elle, ne semblait pas calmée.

— Je n'ai pas besoin qu'on s'occupe de moi, et je n'aime pas qu'on parle de moi comme si je n'étais pas là, lança-t-elle d'un air furieux. Je suis parfaitement capable de me débrouiller seule, merci ! Et ne vous en faites pas pour la presse, je n'ai pas envie de leur servir de proie !

Se rappelant la nervosité de son frère, Matteo raccompagna Allegra à la porte.

— C'est *votre* soirée. L'attention de la presse doit être uniquement focalisée sur vous et Alex, comme nous le souhaitons tous. Si je raccompagne votre sœur à l'hôtel, les paparazzi l'assiégeront, alors je vais l'emmener ailleurs.

C'était folie que de rester en compagnie de cette femme, la plus troublante qu'il eût rencontrée depuis bien longtemps, mais Matteo ne s'attarda pas sur cette pensée. De toute façon, il garderait le contrôle de lui-même.

— Mon palazzo est très bien protégé et les jardins donnent directement sur les falaises et une petite plage privée. Pas de journalistes, là-bas — c'est une véritable forteresse.

— Cela me semble parfait, dit Allegra avec un sourire rassuré. Et nous…

— Tu veux dire que c'est un piège, oui ! coupa Izzy.

Le visage maintenant livide, elle se tourna vers Matteo.

— Vous croyez que je vais vous suivre dans votre fichue forteresse ? Quelle chance : nous allons vivre un véritable conte de fées, vous et moi !

— Allez rejoindre Alex, dit-il à Allegra.

— Hé ! s'écria Izzy d'une voix suraiguë. Je suis là aussi, au cas où vous l'auriez oublié !

— Je ne suis pas près de l'oublier, répliqua-t-il froidement.

— Merci infiniment, murmura Allegra avant de tourner les talons.

Izzy contempla la porte fermée avec stupeur.

— Il faut que je lui parle. Elle n'est pas elle-même…

Réprimant la remarque qui lui venait aux lèvres, Matteo réfléchit rapidement. De toute façon, les journalistes ne s'attendaient pas à ce que quiconque quitte la soirée aussi tôt.

— Nous partons, dit-il en sortant son téléphone de sa poche.

— Je ne resterai pas une minute de plus avec vous.

— La prochaine fois que vous me prendrez comme cible, faites des recherches un peu plus sérieuses. Vous avez un manteau ?

— Je n'ai pas besoin de manteau : je ne pars *pas* avec vous.

— Ou vous m'accompagnez de votre propre gré, ou je vous emmène de force. Choisissez.

— Je ne partirai pas avec vous, c'est hors de ques… Oh…

Quand il la souleva dans ses bras, elle poussa un petit cri plaintif, mais Matteo se dirigea d'un pas ferme vers la seconde porte donnant sur une issue privée.

— Arrêtez de me secouer, j'ai le vertige. Lâchez-moi !

Elle était légère comme une plume, songea-t-il sans prêter attention à ses paroles. Mais la sensation de son corps pressé contre le sien, la douceur de sa peau, la caresse de ses cheveux contre sa joue n'en étaient pas moins troublantes…

— Et, franchement, je ne comprends pas pourquoi vous voulez que je vous accompagne : vous me détestez !

Si seulement il la détestait, purement et simplement… Car les sentiments de Matteo étaient beaucoup plus ambivalents que cela. Izzy Jackson était extrême en tout. Pour elle, dans la vie, c'était noir ou blanc. Cette femme était imprévisible et il fallait l'éloigner du palais royal.

Sans se préoccuper des regards stupéfaits des gardes, Matteo descendit les quelques marches menant à la cour privée située à l'arrière du palais. A cet instant, il sentit des lèvres chaudes se refermer sur son cou, faisant courir aussitôt le feu dans ses veines, avant d'embraser tout son corps.

— Qu'est-ce qu'il vous prend ? demanda-t-il d'une voix rauque en reposant la jeune femme sur ses pieds.

— Je vous ai demandé gentiment de me lâcher, répondit-elle, mais vous n'avez rien voulu entendre, alors j'ai essayé une autre tactique. Je devrais sans doute être flattée que vous considériez une femme aussi insignifiante que moi comme un danger pour la monarchie, mais je regrette : je refuse votre invitation.

Gardant à grand mal son équilibre, elle poursuivit :

— Premièrement, parce que je soupçonne que vous n'êtes pas une personne très sympathique. Deuxièmement, parce que l'hospitalité que vous me proposez n'est sans doute pas meilleure que celle du palais royal, et quatrièmement…

— Troisièmement, corrigea-t-il sans réfléchir.

Elle battit des paupières.

— Peu importe. J'aime beaucoup ma chambre d'hôtel. Pour une fois que j'ai l'occasion de passer une semaine de luxe, je n'ai pas l'intention d'y renoncer.

Même après s'être écarté d'elle à distance respectueuse, Matteo avait encore la sensation de ses lèvres sur son cou.

— Il est hors de question que vous retourniez dans votre hôtel. Vous venez avec moi et il ne s'agit pas d'une invitation : c'est un ordre !

— Je préfère garder la liberté de choisir, merci.

— Parfait, voici votre choix : ou vous montez de vous-même dans la voiture, ou je vous y installe. Alors ?

D'un bref mouvement de poignet, Matteo déverrouilla les portières de son cabriolet.

— Et ne vous avisez pas d'être malade en cours de route, ajouta-t-il sèchement.

En d'autres circonstances, Izzy aurait été folle de joie à la pensée d'avoir une nouvelle chance d'impressionner le prince Matteo, mais elle se sentait affreusement mal. Et pas seulement à cause du champagne.

Comment les choses avaient-elles pu tourner ainsi à la catastrophe ? Elle devait se ressaisir, élaborer de nouveaux plans… Un peu plus tard. Dans l'immédiat, elle n'était pas en état de réfléchir à quoi que ce soit.

Lorsqu'elle se retrouva sur le siège en cuir de la superbe voiture de sport du prince, Izzy sentit une atroce déception l'envahir. Elle ne s'était certes pas imaginé que la soirée se terminerait ainsi… Qu'elle serait emmenée de force, par une issue privée dissimulée au fin fond des jardins du palais.

Elle avait l'impression d'être une criminelle qu'on éloignait discrètement des regards curieux. En outre, le fait de se retrouver seule avec le prince dans cet espace luxueux, mais confiné, achevait de la déstabiliser.

— J'aurais plutôt pensé que vous vous déplaciez dans une limousine blindée, avec un policier armé pour chauffeur.

— Je préfère conduire moi-même, dit-il en démarrant. Et assurer ma propre sécurité plutôt que de la confier à d'autres.

Le puissant véhicule s'engagea dans l'allée avec une grâce féline.

— Vous devez avoir du boulot, alors. Parce que, après une demi-heure passée en votre compagnie, j'imagine que la plupart des femmes doivent mourir d'envie de vous étriper !

A sa grande satisfaction, Izzy vit les jointures des belles mains du prince blanchir.

— Puisque vous m'enlevez, votre punition sera de vous retrouver coincé avec moi, poursuivit-elle.

Et sa punition à elle, c'était le dangereux frémissement qui l'empêchait de respirer normalement.

Le prince passa une vitesse d'un mouvement souple et la voiture bondit, prête à avaler la chaussée.

— Je vous laisse vous lamenter à loisir sur votre sort, dit-il en regardant devant lui. Mais j'apprécierais un peu de silence.

— Je ne me lamente jamais.

Mais, au fond, Izzy était amèrement déçue par l'attitude du prince. Elle avait été tellement excitée à la pensée de le rencontrer ! Elle avait tout prévu avec soin, travaillant des heures, des nuits entières à peaufiner sa chanson. Elle avait choisi sa robe dans le but d'avoir un *look* de star. Mais le prince lui avait adressé un seul regard avant de partager le jugement de tous les autres invités : elle n'était que la fille de l'ex-footballeur, une chanteuse ratée.

Regarde-moi, je ne suis pas celle que tu vois...

Les mots avaient jailli dans sa tête, accompagnés d'une mélodie ensorcelante, et d'un frisson d'excitation familier. Soulagée d'échapper à la tension ambiante, elle se mit à fredonner doucement la musique qui résonnait dans sa tête comme par magie.

Au plus profond de moi, il y a une autre femme,
Une femme qui rêve de s'épanouir...

— Après avoir gâché la soirée de votre sœur, vous trouvez encore le moyen de chanter ? Vous êtes vraiment...

— Je n'ai pas gâché sa soirée.

Mais il avait réussi à semer le doute dans son esprit. Car, même si elle avait trop bu, elle avait remarqué que sa sœur se comportait de façon étrange.

Après avoir sorti son mobile de son sac, elle envoya un bref texto à Allegra :

Excuse-moi, je suis désolée.

Mais pourquoi sa famille ne se sentait-elle pas désolée, elle aussi ? Pourquoi ne la prenaient-ils jamais au sérieux ?

Je ne suis pas celle que tu vois, ne te détourne pas...

Craignant d'oublier la chanson, elle ferma les yeux et la fredonna plusieurs fois afin de la fixer dans sa mémoire. Peu à peu, mélodie et paroles se confondirent dans son esprit tandis que, bercée par le ronronnement du moteur, Izzy se sentait sombrer dans une langoureuse torpeur…

Lorsqu'elle se réveilla en sursaut, ils roulaient sur une avenue bordée d'arbres, semblable à une haie d'honneur. L'esprit confus, elle se tourna vers le prince.

— Je me suis endormie.

— *Non c'è problema*. Vous vous taisiez, c'était un grand progrès. A propos, ne vous servez pas de votre téléphone quand vous êtes avec moi.

— Vous souhaitez peut-être me dire *qui* je peux appeler ?

— Non, je vous dis de ne pas émettre d'appel à partir de votre téléphone, répondit-il avec une lenteur exagérée. Quand nous serons au palais, vous pourrez appeler qui vous voudrez à partir d'une ligne sécurisée.

— J'ai envoyé un seul texto, à Allegra.

— N'en envoyez plus. Vous pourrez téléphoner à votre mère tout à l'heure, du *palazzo*.

— Pour quoi faire ?

— Elle doit se demander où vous êtes passée.

— Elle ne s'apercevra même pas de mon absence.

Le prince lui lança un regard surpris.

— Vous ne voulez pas que j'utilise mon portable parce que vous craignez les conspirations ? poursuivit Izzy.

— Non, parce que ma ligne a déjà été mise sur écoute.

— Vous parlez sérieusement ? Des gens écoutaient vos conversations sexy ? demanda-t-elle en souriant. En ce qui me concerne, ils peuvent écouter tout ce que je dis — j'espère qu'ils seront choqués. Et les médias peuvent raconter ce qu'ils veulent, je m'en fiche.

— Evidemment, ajouta-t-il d'un ton cynique. Vu que vous êtes un pur produit créé par les médias, vous les adorez : votre survie dépend d'eux !

Son commentaire sardonique fit l'effet d'une gifle à Izzy, d'autant plus douloureuse que c'était en partie vrai. Elle n'adorait pas les journalistes, mais elle possédait assez de jugeote pour savoir que la publicité était essentielle. Il lui avait fallu *un an* de coups durs pour comprendre que la presse n'était pas son amie. Par ailleurs, elle n'était pas dupe : s'ils l'appelaient maintenant « Izzy » et feignaient d'être dans son camp, il n'en était rien.

— Vous êtes libre de penser ce que vous voulez des médias, mais vous ne me connaissez absolument pas.

Soudain, elle regretta d'avoir choisi cette robe à paillettes. Elle lui avait plu dès qu'elle l'avait aperçue mais, en réalité, Izzy avait commis une erreur regrettable en l'achetant.

Elle se rappela les regards condescendants, les moues de dédain à peine dissimulées. Hélas, il aurait fallu plus qu'une robe pour être à la hauteur. Toute sa personne était déplacée. Elle ne possédait ni les traits aristocratiques ni les cheveux lisses requis. Dotée de joues rondes, d'un nez un peu retroussé, Izzy avait hérité de sa grand-mère une abondante chevelure indisciplinée blonde — aux reflets naturellement *roses*.

La plupart du temps, elle réussissait à se convaincre qu'elle se fichait du jugement d'autrui. Mais, en dépit de sa capacité à rebondir en toutes circonstances, Izzy était d'une nature bohême et rêveuse, et hypersensible.

Regarde-moi, je ne suis pas celle que tu vois,
Au plus profond de moi, il y a une autre femme,
Une femme qui rêve de s'épanouir au grand jour...

Après tout, elle pourrait peut-être profiter de son séjour incognito chez le prince pour travailler ? Peut-être pourrait-elle même le convaincre de la laisser au moins participer aux préparatifs du *Rock'n'Royal Concert* !

Rassérénée par cette pensée, Izzy s'imagina déjà en train de bavarder dans les coulisses avec ses vedettes préférées.

Depuis son adolescence, elle regardait chaque année le concert en direct à la télévision. Il s'agissait d'un événement grandiose, soutenu par l'ami du prince, le célèbre producteur de musique Hunter Capshaw.

Elle savait qu'ils avaient déjà obtenu la participation des plus grands noms du monde musical, de vrais princes du rock, pas des starlettes comme elle.

Sans réfléchir, Izzy saisit l'ourlet de sa robe et essaya de tirer le tissu sur ses cuisses. Le prince surprit son geste et tourna la tête vers elle.

Le cœur battant à tout rompre, Izzy ne put s'empêcher de baisser les yeux sur sa bouche et l'espace d'un instant, bref mais troublant, elle fut traversée par un désir irrésistible de l'embrasser.

Ebranlée par l'intensité du courant qui passait entre eux, elle détourna les yeux. Comment cet arrogant personnage aurait-il pu être attiré par elle ? Décidément, elle devait être encore plus ivre qu'elle ne le pensait !

Mais elle eut beau se dire que cet homme était beaucoup trop sûr de lui pour lui plaire, elle ne put s'empêcher de le regarder à la dérobée. Une ombre sexy couvrait sa mâchoire virile, quant à ces impressionnantes épaules…

Très perturbée par ces pensées, Izzy s'assit au bord de son siège en se convainquant que sa réaction était due à un excès de champagne. Perdre la tête de façon aussi stupide pour un homme ne faisait pas partie de ses objectifs. Après avoir commis cette erreur une fois, elle n'était pas près de la renouveler.

— C'est toujours comme ça ? s'enquit-elle d'un ton léger.

— De quoi parlez-vous ?

— Des réceptions royales. Autant les organiser dans un cimetière. D'ailleurs, j'y pense, des tas de femmes ressemblent effectivement à des squelettes. Pourquoi ne servait-on pas de nourriture correcte ?

— Il y avait des petits-fours.

— Auxquels personne ne touchait. Les invités avaient tous l'air si coincé… A quoi riment de telles soirées si personne ne s'y amuse ?

— Rassurez-vous : vous l'avez fait pour tout le monde.

Izzy le foudroya du regard, mais en réalité elle se rendait très bien compte qu'elle s'était mal conduite — à cause de tout ce fichu champagne avalé *sans manger*. Le pire, c'était qu'elle n'avait pas du tout eu l'intention de s'enivrer…

— Je ne savais pas que c'était un crime de s'amuser au cours d'une réception royale. Vous ne vous…

— Les réceptions royales sont destinées aux autres.

Ils avaient quitté la ville, à présent, et la voiture roulait sur une route étroite qui commençait à grimper en lacets.

Etant donné que c'était la première fois qu'elle venait dans la petite principauté de Santina, Izzy ignorait totalement dans quelle partie de l'île ils se trouvaient.

— Que voulez-vous dire par là ?

— Nous ne donnons pas de soirées pour nous divertir. Il y a toujours un motif à ces réceptions : la visite d'un chef d'Etat, une œuvre de bienfaisance à soutenir...

Il passa une vitesse et accéléra au sortir d'un virage en épingle.

— ... La liste serait trop longue à énumérer.

— Et ce soir, c'était les fiançailles de votre frère et de ma sœur.

— Oui, dit-il d'une voix légèrement réprobatrice.

Izzy ressentit aussitôt le besoin de défendre sa sœur.

— Il a de la chance d'avoir Allegra. Elle vaut largement ces femmes anorexiques et hautaines !

Au lieu de la réplique sarcastique à laquelle elle s'attendait, le prince tourna la tête vers elle sans manifester le moindre signe de condescendance.

— J'espère que vous avez raison, parce que Alex ne peut pas se permettre la moindre erreur. Ni aucun de nous, d'ailleurs.

Il se concentra de nouveau sur la conduite, mais en fronçant les sourcils d'un air soucieux.

— Quelque chose vous a-t-il surprise, dans ces fiançailles ?

— Non, mis à part le fait que ma sœur doit être folle d'épouser un prince. Pourquoi cette question ?

— Pour rien, répondit-il après un léger silence.

— Puisque vous avez posé la question, il y a *forcément* une raison, insista Izzy. Allegra n'aurait jamais envisagé d'épouser votre frère si elle ne l'aimait pas. Et pour lui ce doit être la même chose, sinon il ne lui aurait pas demandé sa main.

— Vous croyez que l'amour est plus fort que tout ? lança-t-il avec un sourire sardonique. Quel âge avez-vous ?

Blessée par sa pique, Izzy serra les dents.

— Je suis assez grande pour savoir que vous et moi ensemble, ça ne peut pas bien se terminer. Et pour votre information, je crois que l'amour est la *seule* raison pour laquelle on puisse désirer se marier.

Elle songea à ses parents, puis repoussa aussitôt cette pensée. La réalité de leur couple était en effet en totale contradiction avec son propre idéal. Si jamais elle s'engageait dans une nouvelle relation amoureuse un jour, Izzy ne suivrait pas leur exemple.

— Ainsi, vous croyez aux contes de fées ? demanda-t-il, le regard fixé sur la route.

— Je n'ai pas dit cela. J'ai dit que je croyais à l'amour, même si je sais qu'il est difficile à trouver. Et, toujours pour votre gouverne, j'ajouterai que vous êtes le type le plus cynique que j'aie jamais rencontré et que vous avez une fâcheuse tendance à cataloguer les gens au premier coup d'œil. Maintenant, déposez-moi au prochain village et je trouverai un endroit où dormir. Comme ça, nous éviterons de nous écharper.

— Nous venons de traverser le dernier village. Je ne peux plus vous déposer nulle part.

— Où ça, le dernier village ? fit Izzy en se retournant.

Elle le regretta aussitôt car une douleur sourde lui étreignit la nuque.

— J'aperçois deux maisons. A moins que je ne voie double…

— Dorénavant, vous ne boirez plus que de l'eau.

— Si je peux avoir une tranche de pain avec, j'accepte volontiers. Mais quand vous disiez que vous viviez à des kilomètres de tout, vous ne plaisantiez pas.

— Je plaisante rarement.

Elle contempla sa veste de smoking noire.

— Je pensais que vous étiez dans l'armée de l'air. Pourquoi ne portez-vous pas un bel uniforme ?

— J'ai quitté le service actif il y a cinq ans. A présent, je conseille le DD.

— Le DD ?

— Le département de la Défense.

— Oh ! C'est *cool*, fit-elle en essayant de scruter l'obscurité.

Elle ne vit que de hauts cyprès et des oliveraies.

— Vous passez beaucoup de temps ici ? poursuivit-elle.

— Le plus possible. J'apprécie la solitude.

D'instinct, Izzy sentit qu'elle avait affaire à un homme compliqué, qui dissimulait de sombres secrets sous ses allures princières.

De son côté, elle n'était absolument pas compliquée.

« Isabelle a aussi peu de cervelle qu'un moineau, et si elle ne renonce pas à ses rêves de star, elle risque de ne pas arriver à grand-chose dans la vie. »

Voilà le bagage avec lequel elle avait quitté l'école…

Bien décidée à prouver qu'ils se trompaient, elle avait tout fait pour arriver à quelque chose, mais jusqu'à présent elle n'était pas allée très loin.

— Ecoutez, je vais appeler un taxi dès que nous serons arrivés chez vous. Ce serait mieux pour tous les deux.

— Vous resterez au *palazzo* jusqu'à ce que j'en aie décidé autrement.

— Génial, je vais me sentir aussi à l'aise qu'un chien dans un jeu de quilles, comme on dit. Et puis, que rêver de mieux que de me retrouver dans un endroit isolé avec vous pour seule compagnie…

— Je n'aurais pas cru qu'une femme vêtue d'une robe aussi voyante se serait souciée d'être à sa place ou non.

— Eh bien, cela montre que vous connaissez très mal les femmes.

— Pourtant, je pensais connaître pas mal de choses à leur sujet, riposta-t-il d'une voix terriblement sexy. Mais à vous entendre, je me trompais.

— Si celles que vous fréquentez sont du genre de celles que j'ai vues ce soir, ce n'est pas étonnant que vous soyez ignorant. Ce ne sont pas de vraies femmes. Elles ne sourient pas, ne rient pas, sauf pour se moquer de moi ! Alors, je vous le répète, je préférerais que vous me déposiez quelque part. Regardons les choses en face : nous n'avons rien en commun. Je vais semer la zizanie dans votre précieux *palazzo* et, même si je suis résistante, j'en ai assez de voir ces regards désapprobateurs dardés sur moi. Et je n'ai pas envie de quitter l'île avec des problèmes de confiance en moi.

— J'ai du mal à vous imaginer souffrant de tels problèmes.

— Je vais vous surprendre : parfois j'ai l'impression que le monde entier me regarde en fronçant les sourcils. Comme vous. Vous fixez ma robe comme si vous n'en croyiez pas vos yeux. Vous avez quelque chose contre les paillettes ?

— Ce n'est pas vraiment subtil.

— Et alors ? Elle me plaît. Et vous êtes hypocrite. Quand je pense à tout le bling-bling de la famille royale.

— Le *bling-bling* ?

— Vous avez vu cette espèce de diadème que votre mère portait ce soir ?

— Cette *espèce de diadème* a été offert par un monarque anglais, au XVIe siècle.

— Eh bien, c'est plus clinquant que tout ce que je possède, et c'est stupide de votre part de mépriser mes paillettes parce que je n'ai pas les moyens de m'acheter de vrais diamants. Dans une soirée, il faut que ça brille ! A propos, vous êtes conscient que je n'ai pas de bagages, n'est-ce pas ? Alors, à moins que vous ne possédiez quelque chose à ma taille, je vais devoir porter cette robe pas vraiment subtile durant toute ma captivité.

— Vous n'êtes pas en captivité.

— Donc, je peux m'en aller quand je veux ?

— Non. Toute l'attention doit être concentrée sur mon frère et votre sœur. Pas sur vous.

— C'est bien ce que j'ai dit : je suis en captivité.

— Considérez plutôt votre séjour au *palazzo* comme des vacances. Vous aviez prévu de séjourner à l'hôtel pendant une semaine, eh bien, nous avons modifié votre destination et, croyez-moi, la côte est stupéfiante, là-bas. Quant à vos bagages, des gens s'occupent en ce moment même de leur transfert. Rassurez-moi : vous possédez quelques tenues normales ?

Lorsque le regard du prince se riva au sien, Izzy eut l'impression de manquer d'oxygène.

— Les pyjamas, ça compte ?

— Ce sont les seuls à ne pas étinceler ? demanda-t-il en se tournant de nouveau vers elle.

Izzy rougit jusqu'aux oreilles en se maudissant d'avoir parlé de pyjama.

Heureusement, elle aperçut à cet instant un grand portail gardé par des hommes armés. Les deux battants pivotèrent et la voiture entra dans la propriété sans ralentir. Impressionnée malgré elle, Izzy frémit tandis que le véhicule s'avançait sur une allée flanquée d'arbres. Quelques instants plus tard, celle-ci débouchait sur une ravissante cour dominée au centre par une fontaine illuminée.

Au fond, sous le ciel méditerranéen parsemé d'étoiles, le *palazzo* se dressait, dans toute la majesté des siècles passés, baigné dans une belle lumière dorée.

Izzy songea à la maison kitsch, en faux style Tudor, de ses parents, et déglutit.

— C'est là que vous habitez ?

— Oui. Pourquoi ?

Parce que c'était *gigantesque*.

— Je trouve votre *palazzo* un peu petit, c'est tout. Je m'attendais à quelque chose de plus grandiose. Si vous voulez impressionner les femmes, vous devriez peut-être songer à déménager.

Elle aurait juré que la bouche sensuelle du prince avait tressailli.

— Surveillez votre comportement devant les membres du personnel.

— Je croyais que vous viviez seul.

— En effet, mais cinquante personnes travaillent ici.

— Eh bien, je suis au regret de vous dire que lorsqu'on est entouré de cinquante personnes, on ne vit pas *seul*. Vous avez vraiment besoin d'autant de monde ? Vous n'êtes pas capable de vous débrouiller tout seul ?

Il freina d'un coup sec et coupa le contact.

— Les bureaux de ma fondation se trouvent ici, au *palazzo*, et dix salariés y travaillent à temps plein. En tant que conseiller à la Défense, je suis amené à héberger régulièrement des chefs d'Etat et des membres de gouvernement, aussi ai-je besoin de personnel. Le reste de mes employés veille au bon fonctionnement du *palazzo*, sans compter les jardiniers et un archiviste. J'ai aussi une assistante personnelle, mais à part ça je me *débrouille* tout seul. Je vais vous donner un bon conseil : pendant votre séjour chez moi, conduisez-vous avec dignité et bienséance. Je compte sur vous, Isabelle.

— A mon tour de vous donner un bon conseil : si vous voulez que je me conduise avec dignité et bienséance, ne m'appelez pas « Isabelle ». Sinon, je ne réponds plus de rien.

Avant qu'il n'ait eu le temps de répliquer, quelqu'un ouvrit la portière du côté d'Izzy. Elle sortit aussitôt de la voiture.

— Oh ! j'entends la mer, c'est merveilleux, dit-elle en offrant son visage à la brise tiède.

— Le palais est construit sur une falaise. Se méfiant de ses semblables, mon ancêtre avait choisi une position facilement défendable. N'allez pas vous promener la nuit, surtout si vous avez bu.

— Je ne bois pas, d'habitude.

Il lui adressa un regard dubitatif.

— Par endroits, la falaise s'effondre, dit-il. Nous avons lancé un grand projet de restauration, mais il y a du travail.

Le prince s'adressa ensuite en italien à quelques membres du personnel et, même si elle ne comprenait pas les paroles qu'il échangeait avec ses employés, Izzy constata que ceux-ci lui parlaient avec chaleur. Le prince avait des défauts, mais les gens qui travaillaient pour lui semblaient l'apprécier.

L'un d'eux, un homme de haute taille en uniforme, s'inclina respectueusement devant elle.

— Si vous voulez bien me suivre, *signorina*…

Après avoir lancé un salut moqueur à Matteo, Izzy s'efforça de marcher droit et, perchée sur ses talons aiguilles, elle franchit la double porte en chêne massif. Aussitôt, elle fut éblouie par la somptuosité de l'endroit.

— Quel plafond incroyable !

— Cela s'appelle une fresque, dit la voix de Matteo derrière elle. Elle a été peinte par un contemporain de Michel-Ange.

Izzy haussa les sourcils.

— Comment faisaient-ils pour ne pas avoir de peinture dans les yeux ? La dernière fois que j'ai repeint ma chambre, j'étais couverte de taches de la tête aux pieds.

— Ils se servaient d'échafaudages, répliqua Matteo en promenant son regard sur son corps. Et l'artiste n'était pas étendu sur le dos, il penchait simplement la tête en arrière.

— En tout cas, c'est magnifique…

Soudain, elle vit le plafond basculer et tourner.

Poussant un juron étouffé, le prince la rattrapa juste avant qu'elle ne s'effondre et la souleva dans ses bras tandis que l'un de ses escarpins tombait sur le marbre avec un bruit sec.

— Ma chaussure !

— La prochaine fois, buvez avec modération.

La belle bouche sensuelle du prince était si proche…

— Je n'ai pas trop bu. Le problème, c'est que je n'ai pas assez mangé.

En proie à un nouveau vertige, Izzy laissa retomber sa tête sur l'épaule du prince en laissant échapper un gémissement.

— Cette fois, ce serait formidable si vous pouviez marcher lentement, murmura-t-elle en enfouissant son visage dans son cou.

3.

Comment en était-il arrivé à la porter de nouveau dans ses bras ? se demanda Matteo en refermant la porte derrière lui d'un coup de pied.

Il déposa la jeune femme sur le lit, puis recula de quelques pas et déboutonna son col de chemise dans l'espoir de chasser la tension qui lui étreignait la gorge.

Pourquoi s'était-il fourré dans une situation pareille ? Il aurait dû la laisser semer la pagaille et arranger les choses après. Ou laisser Alex s'occuper lui-même de tout.

Elle se redressa un peu et regarda autour d'elle en clignant des yeux.

— Où suis-je ?

— Dans la chambre de la tour.

— Vous m'enfermez dans la tour, comme dans le conte, fit-elle en riant.

Quand elle roula sur le côté, sa robe remonta sur ses cuisses. Elle avait des jambes stupéfiantes.

— C'est la meilleure de nos suites, celle que nous réservons d'habitude aux hôtes royaux. Vous n'en méritez pas tant.

Tout en la surveillant, il saisit le téléphone et demanda qu'on lui monte du café noir et de quoi se restaurer. Les rumeurs allaient circuler bon train parmi le personnel, songea-t-il en serrant les mâchoires. Dire que, d'habitude, il gérait ses relations avec la plus grande discrétion…

Au moment où il raccrochait le téléphone, Izzy réussit enfin à s'asseoir sur le lit, avant de se lever gauchement. Elle resta d'abord immobile, puis esquissa un pas pour vérifier qu'elle tenait bien sur ses jambes. Mais, quand elle se pencha pour ôter son unique chaussure, elle faillit tomber.

— Oups ! Le champagne affecte l'équilibre…

— Il n'a jamais affecté le mien.

— Bien sûr ! Parce que vous êtes incapable de lâcher prise.

— Asseyez-vous, répliqua Matteo entre ses dents.

— Non, j'ai la tête qui tourne.

— *Madre di Dio*, vous êtes insupportable !

Il la saisit par les bras au moment où elle chancelait, avant de s'abandonner contre lui en soupirant.

— J'aime bien être comme ça. Vous sentez divinement bon.

La sensation de son corps doux pressé contre le sien était *divine*, elle aussi. Sans ces talons vertigineux, elle était étonnamment petite, constata Matteo. Il se raidit, refoulant d'instinct la réaction de sa virilité.

— Redressez-vous.

Il se força à la lâcher, mais elle resta collée à lui.

— Si vous n'étiez pas aussi désagréable, vous seriez *vraiment* sexy, murmura-t-elle.

Elle renversa la tête en arrière et plongea son regard dans le sien.

— Pourquoi est-ce que vous ne souriez jamais ? Etes-vous malheureux, Matteo ?

Ses cheveux soyeux lui caressaient la main. Il voulut s'écarter mais une boucle s'enroula autour de son doigt et, soudain, Matteo leva la main et lui effleura la joue. Puis, le désir annihilant tout son contrôle, il prit son visage entre ses mains avant de se pencher vers sa bouche. Après un instant d'hésitation, elle céda à la pression de ses lèvres et ouvrit les siennes.

Lorsque leurs langues se mêlèrent, une chaleur infernale déferla en Matteo et, refermant les mains sur les hanches d'Izzy, il la serra contre lui.

Leurs corps soudés, leurs bouches se dévorant, il songea dans une sorte de vertige au lit qui les attendait à quelques pas, lorsqu'on frappa à la porte.

Le son lui parvint confusément à travers le brouillard qui enveloppait son esprit mais, quand il tenta de relever la tête, Izzy laissa échapper un gémissement en resserrant les doigts sur sa nuque pour prolonger leur baiser.

Ce ne fut que lorsque l'on frappa de nouveau, plus fort, et qu'il entendit la poignée tourner, que Matteo arracha sa bouche de celle d'Izzy et recula. Une seconde plus tard, une jeune bonne entrait, chargée d'un plateau.

En l'espace de quelques heures, il avait par deux fois perdu tout contrôle. A cause d'Izzy Jackson.

— *Grazie*. Laissez-le sur la table, s'il vous plaît.

Si la jeune employée fut surprise par son ton brutal, elle n'en montra rien et déposa le plateau comme il le lui avait demandé. Au moment où elle soulevait la cafetière, il l'interrompit d'un geste.

— Merci. Je m'en occuperai.

Elle sortit aussitôt de la pièce.

Pieds nus, pas très solide sur ses jambes, Izzy évitait son regard. Elle semblait encore plus confuse, remarqua Matteo. A vrai dire, il ressentait la même chose qu'elle, mais lui ne pouvait prétexter l'abus d'alcool.

— Mange quelque chose, dit-il.

Elle tressaillit et regarda autour d'elle.

— Où est passé mon sac ?

Après l'avoir aperçu sur le lit, elle s'en saisit.

— Il faut que j'écrive quelque chose avant de l'oublier, reprit-elle.

Après trois tentatives infructueuses, elle réussit à ouvrir son sac et en sortit un stylo et un petit carnet. Exaspéré, Matteo la regarda essayer de se concentrer.

— Qu'est-ce que tu fais ?

— Le bilan de la journée, comme chaque soir avant de me coucher. Mais j'ai peur d'oublier tout à l'heure.

— Le bilan ?

— Oui, par rapport à l'objectif que je m'étais fixé.

Lorsqu'elle faillit de nouveau perdre l'équilibre, Matteo allait s'élancer pour la rattraper quand elle posa les mains sur le lit pour se stabiliser. Dans le mouvement, le carnet tomba sur le sol et il le ramassa. Au moment où il allait le rendre à Izzy, il lut :

Objectif du jour : rencontrer le ténébreux Matteo.

Une bouffée de rage s'empara de lui.

— Tu t'étais donné la peine de l'écrire ?

— Rends-moi ça, c'est personnel.

Sa tentative de récupérer son carnet faillit causer un nouveau désastre.

— Oui, je l'ai écrit, dit-elle en se redressant avec maladresse. C'est comme si je me faisais des promesses. Et je *réaliserai* mon rêve !

Envahi par une vague de nausée, Matteo lui tendit le carnet.

— Je vais l'anéantir, ton fichu rêve, crois-moi ! Et écoute-moi bien : je ne suis *pas* ton objectif, c'est compris ?

Matteo sentit ses mains devenir moites tandis que les souvenirs surgissaient dans son esprit avec une force inouïe, menaçant de faire exploser les barrières protectrices qu'il avait érigées autour de lui.

— Je ne suis *pas* ta cible, tu m'entends ?

— Tu veux bien parler plus doucement ? J'ai mal à la tête. Et je trouve que tu réagis de façon un peu excessive.

Poussant un juron en italien, Matteo se dirigea vers la porte.

— En tout cas, la soirée a été très instructive, poursuivit Izzy. Je crois que nous avons appris quelque chose l'un sur l'autre, ce qui nous sera utile puisque nous serons amenés à nous côtoyer. J'ai découvert que sous tes dehors austères et contrôlés, tu possèdes une nature passionnée et que tu embrasses comme un dieu. Et vous, qu'avez-vous appris, *Monsieur* ?

Que ce qui lui était arrivé des années plus tôt était resté gravé dans son subconscient. Et que sa maîtrise de lui-même était beaucoup plus fragile qu'il ne l'avait cru.

Qu'aider son frère allait lui coûter très cher.

— A ne jamais porter une femme qui a bu jusqu'à sa

chambre. Va prendre une douche froide — et essaie de ne pas te noyer. *A domani…*

Izzy se réveilla avec un mal de crâne atroce, la bouche affreusement pâteuse et le souvenir vivace de tout ce qui s'était passé la veille au soir.

Mon Dieu, elle se rappelait les moindres détails, les regards désapprobateurs des invités, le moment où elle avait réussi à s'emparer du micro, celui où son père avait tenté de la faire descendre de scène. L'arrivée du prince, l'épisode du micro resté allumé, puis le départ discret, le trajet dans la voiture de sport du prince.

Quant au baiser…

Izzy ferma les yeux en poussant un gémissement. Elle s'en souvenait avec une précision délicieuse. Elle se le rappellerait jusqu'à son dernier jour. Où un type aussi guindé que le Prince Ténébreux avait-il appris à embrasser ainsi ?

Elle revit l'instant où, renonçant à toute retenue, il l'avait enlacée. Elle revécut l'excitation qui les avait emportés tous les deux. Car il ne s'était pas agi de romantisme, mais de pur désir *sexuel*.

Bien sûr, ce n'était pas la première fois qu'un homme l'embrassait, mais jamais Izzy n'avait éprouvé les sensations qui avaient déferlé dans tout son corps, faisant naître un désir si puissant qu'elle en ressentait encore le trouble.

Ebranlée par des émotions inconnues, elle décida que la première chose à faire était de mettre un terme à cette douleur qui lui vrillait le crâne. Tendant la main vers la carafe d'eau posée sur la table de nuit, elle aperçut une masse pailletée rouge, sur le sol, et se rappela s'être déshabillée avant de s'effondrer sur le lit.

— Jamais plus, murmura-t-elle en versant de l'eau dans un verre. Je ne boirai jamais plus de champagne sans manger.

Tout en essayant de ne pas bouger trop brusquement la tête, elle baissa les yeux sur sa montre : 10 h 30. Elle ne se levait jamais aussi tard. Chaque soir elle réglait son réveil pour 7 heures, quelle que soit l'heure à laquelle elle se couchait.

Izzy se redressa doucement et se leva avant de se diriger à pas lents vers la salle de bains. Là, des yeux de raton laveur la fixèrent dans le miroir, dans un visage d'une pâleur effrayante. Alors qu'elle faisait sa toilette, elle remarqua que le vieux palais était équipé de tout le confort moderne. La salle de bains était d'un luxe époustouflant, la douche immense.

En fait, jamais elle n'avait séjourné dans un endroit aussi raffiné. Au-dehors, le soleil brillait de tout son éclat, et ce constat la réconforta, en dépit de son mal de tête. Ça changeait de la grisaille londonienne…

Après avoir regagné sa chambre, Izzy prit son stylo et entama une nouvelle page.

Objectif du jour : terminer l'écriture de ma chanson.

Puis elle se dirigea vers le dressing. Pendant qu'elle dormait, sa valise avait été déposée dans la suite et quelqu'un avait suspendu ses vêtements. Ceux-ci paraissaient perdus dans l'immensité de l'espace laqué couleur ivoire mais, refoulant le malaise qui l'envahissait, Izzy saisit son short préféré en jean et un haut rose indien.

Une fois habillée, elle fit ses vocalises et ses exercices habituels pour se chauffer la voix, mais ce matin sa migraine l'empêchait de se concentrer. Toutefois, elle persévéra jusqu'à être relativement satisfaite, et des paroles et de la mélodie.

Ensuite, Izzy se dit qu'un peu d'air frais lui ferait du bien et, au moment où elle allait ouvrir la porte, on frappa et une nouvelle jeune fille entra avec un plateau.

— *Buon giorno, signorina.* Son Altesse a pensé que vous deviez avoir faim.

Izzy sentit son estomac se révulser. Lorsqu'elle mourait de faim, il n'y avait rien à manger, et quand elle n'avait aucun appétit…

— Merci, dit-elle avec un faible sourire. C'est gentil.

— Le prince Matteo se montre toujours très attentionné

envers ses invités, répliqua la jeune bonne avec un sourire rêveur.

Se souvenant de la poigne de fer qui l'avait entraînée hors de la scène, et du flot de réflexions désobligeantes qu'il lui avait assenées, Izzy ne partageait pas tout à fait l'avis de la jeune fille. Son âge expliquait sans doute sa vénération.

— Oui, il est adorable, c'est certain, approuva-t-elle.

Et affreusement lunatique, sexy, compliqué…

— Je suis sûre qu'il est très gentil avec les personnes âgées et les enfants, ajouta-t-elle.

La jeune fille sourit jusqu'aux oreilles.

— Oh oui ! Il collecte beaucoup d'argent pour sa fondation, et comme il connaît *tout le monde*, il n'a qu'à saisir son téléphone et, le lendemain, un enfant passe la journée avec son idole.

— C'est fantastique. Et où est-il, en ce moment ?

— Son Altesse enchaîne les rendez-vous durant toute la matinée, mais il vous demande de le rejoindre pour le déjeuner, à 12 h 30, dans le petit salon des Roses. Il donne sur la roseraie anglaise, dans l'aile sud du *palazzo*.

Après avoir hésité un instant, elle poursuivit, les yeux brillants :

— Vous êtes la première femme qu'il laisse passer la nuit ici. Nous sommes tous tellement excités…

Soudain, Izzy se rappela la chaleur de l'accueil réservé par les membres du personnel à leur arrivée. Et, soudain, elle eut l'impression d'être un imposteur.

Après le départ de la domestique, elle se dirigea vers les fenêtres donnant sur les jardins. Dessinés au cordeau, ceux-ci s'étendaient à perte de vue, autour d'une vaste pelouse bordée de haies. Tout au bout, un étang se découpait sur le vert vif d'un gazon où se dressait une fontaine.

Izzy se dirigea de nouveau vers le dressing. Il faisait chaud, et elle avait deux heures avant le déjeuner. Eh bien, elle savait très bien comment les utiliser.

***

Après avoir mal commencé, la journée semblait se compliquer à chaque nouvel e-mail ou appel téléphonique.

En outre, le fait que son esprit semble déterminé à s'égarer dans une sorte de rêverie érotique, dont le personnage principal était une jeune femme aux luxuriants cheveux blonds, n'aidait pas Matteo à se concentrer.

Pourquoi cette femme l'ébranlait-elle ainsi ? Elle était jolie, certes, mais il côtoyait des femmes superbes tous les jours. Des créatures aux goûts plus raffinés, au comportement plus sophistiqué. En comparaison, Izzy était une sauvage.

Il ferma les yeux : il avait été son *objectif* de la veille. Servir de cible à des créatures avides était hélas inhérent au statut de prince, mais jamais encore Matteo n'avait rencontré de femme aussi déterminée à l'atteindre.

Peut-être était-ce sa présence qui le perturbait. Il n'avait jamais laissé de femme passer la nuit au *palazzo*.

— Belle voix, dit son assistante en posant une pile de dossiers sur son bureau.

— Pardon ?

— Votre invitée. Les fenêtres sont ouvertes et je l'ai entendue chanter, tout à l'heure. Vous l'avez installée dans la tour, n'est-ce pas ? demanda-t-elle, les yeux emplis de curiosité. Si elle participe au concert, il faudrait que vous…

— Elle n'y participe pas, l'interrompit vivement Matteo.

Aussitôt, il s'en voulut de sa brusquerie.

— Excusez-moi, Serena.

— Je vous en prie. Les derniers jours précédant le grand soir sont toujours stressants, mais cela ne vous ressemble pas de vous laisser émouvoir par cette effervescence. Ni de laisser une invitée passer la nuit au *palazzo* lorsque vous vous y trouvez. Est-ce que Mlle Jackson… ?

— Mlle Jackson ne participe en rien à la vie du *palazzo*, l'interrompit-il de nouveau, plus doucement cette fois. Hunter a-t-il appelé ?

— Oui, mais vous étiez déjà en ligne. Il vous rappellera plus tard.

— Parfait.

En proie à une nervosité inhabituelle, Matteo se leva et s'avança vers la fenêtre, puis se retourna vers son assistante.

— Le concert approche à grands pas et nous n'avons toujours pas de chanson.

— Je sais. J'ai envoyé un e-mail à Callie, mais son assistante m'a répondu qu'elle manquait d'inspiration depuis sa rupture avec Rock Dog. Elle s'isole un peu pour retrouver sa source créatrice, a-t-elle ajouté.

— Et combien de temps lui faudra-t-il pour la retrouver, d'après vous ?

— Callie a passé la semaine dernière dans un endroit secret, en Arizona. C'est sa stratégie habituelle, quand elle rompt avec un petit ami.

Se forçant à chasser les visions brûlantes d'Izzy qui se succédaient dans son esprit, Matteo revint à son bureau et ouvrit son ordinateur portable.

— Nous ne pouvons pas nous permettre d'attendre que l'inspiration revienne à Callie, alors nous ferions mieux d'envisager le plan B. Appelez Pete Foster.

Après avoir passé le restant de la matinée à résoudre crise après crise, Matteo se leva de son fauteuil en soupirant. Il avait fait dire à Izzy qu'il l'attendait pour le déjeuner mais quand il arriva dans le salon des Roses, où le couvert était dressé, il ne trouva que deux serviteurs, dont l'un jetait des regards à la dérobée par la fenêtre.

— Où est-elle ? demanda-t-il au plus âgé, qui travaillait pour lui depuis plus de dix ans.

— Je crois que Mlle Jackson est allée se promener, Votre Altesse.

— Savez-vous quelle direction elle a prise ?

Le regard du plus jeune glissa de nouveau vers la fenêtre avant de revenir se poser sur Matteo.

— Elle… elle est dans les jardins, Monsieur.

— Où cela, dans les jardins ?

— Je crois qu'elle a pris la direction de l'étang, Monsieur.

Pressentant qu'on lui cachait quelque chose, Matteo tourna les talons et s'avança dans le couloir à grands pas.

Avec la montagne de problèmes qu'il lui restait encore à

résoudre, il n'avait vraiment pas de temps à perdre. Durant son séjour au *palazzo*, Izzy Jackson allait devoir apprendre à respecter des limites très précises…

Regrettant de nouveau d'avoir cédé à l'impulsion de l'amener chez lui, et surtout à celle qui l'avait poussé à l'embrasser, Matteo s'arrêta en bordure de la pelouse.

Ne voyant nulle part trace de la jeune femme, il allait bifurquer vers le jardin botanique lorsqu'il entendit chanter. Tournant la tête dans la direction de la voix, il laissa glisser son regard sur la longue étendue d'herbe menant au lac artificiel du jardin Renaissance.

Izzy s'ébrouait joyeusement dans la fontaine, sous les yeux impassibles du célèbre Neptune.

Médusé, Matteo la contempla en comprenant aussitôt l'agitation du serviteur. Jamais encore la fontaine n'avait servi de piscine…

Les mâchoires serrées, le sang bouillant dans ses veines, il descendit la pelouse en direction du lac. En s'approchant, il aperçut quelques vêtements en tas et les restes d'un petit déjeuner : un demi-croissant posé sur une assiette et une tasse vide.

Izzy ne l'avait pas remarqué. Elle tourna sur elle-même en offrant son visage au jet d'eau qui ruisselait sur sa peau. Ses cheveux mouillés collaient à ses épaules nues et, pour toute parure, elle portait un minuscule Bikini rose fuchsia.

Fasciné malgré lui, Matteo resta immobile à dévorer des yeux les seins épanouis à peine dissimulés sous les triangles de tissu, ce ventre lisse et plat, ce sourire heureux arrondissant ses lèvres pulpeuses.

S'il avait été peintre, Matteo aurait essayé de rendre cette vision saisissante sur la toile et l'aurait intitulée : *Femme se baignant à la fontaine*.

— *Buon giorno*, Monsieur, dit-elle en souriant quand elle s'aperçut enfin de sa présence.

— Qu'est-ce que tu fabriques, bon sang ?

— Je me détends ! C'est fantastique comme sensation, je t'assure ! C'est de Michel-Ange ? Il savait vraiment faire les statues, celui-là. Ce serait l'endroit idéal pour tourner un clip musical, tu ne trouves pas ?

— Sors de là tout de suite !

Son ton glacial sembla glisser sur elle comme l'eau de la fontaine.

— Tu m'entends ?

— Je me rafraîchis. J'avais mal à la tête et tu m'as dit de prendre une douche froide. Eh bien, je suis ton conseil !

— Je te l'ai donné *hier soir.*

— Mieux vaut tard que jamais, et cela prouve que je t'écoute avec attention. Pourquoi portes-tu un costume ? Tu n'es pas un peu trop habillé ? Il fait si chaud...

Se forçant à garder le regard fixé sur son visage, Matteo sentit des gouttes de sueur perler sur sa nuque.

— J'ai eu des rendez-vous, ce matin. Je travaille.

— Oh ! mon pauvre Matteo ! répliqua-t-elle en rejetant ses cheveux en arrière avant de plonger les mains dans le bassin. Alors, qu'est-ce que tu fais ici, si tu travailles ? Tu devrais être dans ton bureau, en train de te concentrer.

C'était *elle* qui lui parlait de concentration ?

— Tu étais supposée déjeuner avec moi.

Un petit sourire narquois se dessina sur ses lèvres roses.

— Nous savons tous les deux que tu n'avais pas vraiment *envie* que je déjeune avec toi. Tu ne faisais que ton devoir, et je ne veux être le devoir de personne. C'est déjà assez que tu te sois sacrifié hier soir pour me faire disparaître discrètement.

Elle se tourna à demi, offrant une vue superbe sur sa chute de reins.

— Et, franchement, je ne pouvais pas supporter l'idée de me retrouver enfermée dans un salon avec toi alors que c'est le temps idéal pour pique-niquer. Ton chef est un génie : ces viennoiseries faites maison sont un vrai régal.

— Je n'aime pas les pique-niques.

— C'est vrai ? Tu as tort, manger dehors, c'est mieux qu'un restaurant cinq étoiles, répliqua-elle, les yeux pétillant de malice. Retire cette veste et assieds-toi dans l'herbe.

Détends-toi. Essaie au moins d'avoir l'air de t'amuser. Qui sait ? Tu pourrais peut-être y arriver.

— Sors de cette fontaine. Tout de suite !

— Pourquoi ? Je me sens bien, ici. Mais toi, tu m'as l'air de très mauvaise humeur, aujourd'hui.

— Je ne te le demanderai pas deux fois.

— Super, parce que je déteste qu'on me harcèle. Si tu veux que je sorte, tu n'as qu'à venir me chercher.

Elle souriait toujours, mais à présent il y avait du défi dans ses yeux. Matteo dut faire un effort pour ne pas la prendre au mot. Sa peau serait glissante sous ses doigts, ce serait… *incroyable.*

— Isabelle…

— Ah ça… c'est une grave erreur, Monsieur. Je vous avais prévenu…

Ses mains effleurèrent la surface de l'eau tandis qu'un éclair démoniaque traversait son regard.

Devinant ses intentions, Matteo inspira à fond.

— Je te conseille de te raviser.

— Tu vas venir me rejoindre pour m'en empêcher ?

Son impertinence fit bouillir son sang dans ses veines. Mais c'était impossible, elle n'allait pas…

Un jet d'eau froide s'abattit sur ses cheveux, son visage, sa veste et le devant de sa chemise, dont le tissu lui colla aussitôt à la peau.

— *Madonna santa !* jura-t-il en s'essuyant les yeux d'une main un peu tremblante.

A cet instant, il reçut une nouvelle douche.

— Tu as perdu la tête ? C'est un costume de soie !

— Alors tu devrais l'ôter avant qu'il ne soit complètement ruiné.

Matteo se débarrassa de sa veste d'un geste rageur tandis qu'Izzy baissait les paupières.

— Corps sublime, Monsieur. Je n'avais encore jamais vu de prince dans cette tenue.

De l'électricité sembla crépiter entre eux et Matteo s'avançait d'un pas vers la fontaine lorsqu'il entendit Serena l'appeler.

Se détournant d'Izzy qui le contemplait en riant, il vit son assistante traverser rapidement la pelouse, les joues rosies par la chaleur.

— J'ai réussi à joindre Hunter Capshaw, mais vous ne répondez pas au téléphone…

Matteo ne l'avait même pas entendu sonner, et si Serena était arrivée une minute plus tard elle l'aurait trouvé dans l'eau avec Izzy Jackson… En effet, il avait beau essayer de se convaincre qu'il aurait eu assez de contrôle pour se contenter de la faire sortir de là, il n'en était pas du tout certain.

— Demandez-lui de patienter, lança-t-il d'un ton vif. Je prendrai son appel dans un instant.

Aussitôt il s'en voulut de reporter sa colère sur Serena alors qu'Izzy en était la cause. Une fois de plus, il allait devoir s'excuser.

— Rhabille-toi et rejoins-moi dans mon bureau, dit-il à celle-ci.

— Ça ne me paraît pas très réjouissant, comme perspective ! s'exclama-t-elle enfin, toujours en riant.

— Je te conseille de faire ce que j'ai dit, riposta-t-il en la foudroyant du regard.

4.

Les cheveux encore humides, et quelques brins d'herbe collés à ses pieds nus la gênant dans ses espadrilles, Izzy regarda autour d'elle avec impatience.

La pièce lumineuse regorgeait de plantes superbes et des tableaux abstraits aux teintes vives ornaient les murs blancs, offrant un contraste frappant avec l'atmosphère chargée d'histoire du vieux *palazzo*.

— Son Altesse Royale est prêt à vous recevoir.

L'assistante de Matteo s'arrêta sur le seuil de la pièce : élégante, les cheveux coupés en un carré net et racé, ravissant tailleur blanc cassé…

Se sentant un peu trop décontractée dans son short en jean et son débardeur rose, Izzy se redressa sur son siège.

— Il est furieux ?

Après avoir tourné brièvement la tête vers la porte entrouverte du bureau de Matteo, son assistante chuchota :

— Je ne l'ai jamais vu perdre son calme. Et je travaille avec lui depuis deux ans. Qu'est-ce que vous lui avez fait ?

— Je le rends fou, quoi que je fasse, soupira Izzy.

Elle se leva et se dirigea vers la porte, prête à l'affronter. Puis, après s'être arrêtée une seconde, elle frappa et entra.

Les yeux rivés à l'écran de son ordinateur, Matteo était installé à son bureau, mince, bronzé, sublime… Et totalement inaccessible, songea Izzy en sentant son cœur bondir dans sa poitrine.

Il s'était changé et portait un autre de ses somptueux costumes. A quoi ressemblerait-il en jean ? Il serait sans doute encore plus somptueux.

Installé derrière un impressionnant bureau en chêne massif, il lui parut soudain très intimidant. L'avait-il vraiment embrassée, la veille ?

Lorsque, au bout d'un certain temps, il leva enfin les yeux vers elle, Izzy surprit une lueur étincelante dans son regard.

— Assieds-toi.

Ça commençait mal : il lui donnait l'impression d'être une écolière convoquée dans le bureau de la directrice.

— Pour l'amour du ciel ! s'exclama-t-elle dans l'espoir de détendre l'atmosphère. Il ne s'agissait que de quelques gouttes d'eau et…

— Que faut-il faire pour que tu te conduises *normalement* ? l'interrompit-il d'un ton sec.

— La plupart des gens *normaux* auraient eu envie de se baigner dans cette fontaine.

— Entre avoir *envie* de faire quelque chose et passer à l'acte, il y a un gouffre. Assieds-toi !

Intimidée par son attitude glaciale, Izzy se laissa tomber sur la chaise la plus proche. Puis, sans réfléchir, elle ôta ses espadrilles et replia ses jambes sous elle.

— Qu'est-ce que tu fais ? demanda-t-il en la contemplant d'un air sidéré.

— Je m'assois. Ce n'est pas ce que tu voulais ?

— Je t'ai demandé de *t'asseoir*, pas de te déchausser !

— J'ai mal aux pieds. En partie à cause de toi : hier soir, tu m'as traînée durant des kilomètres dans le palais ! Et puis j'aime m'asseoir comme ça, je me sens plus à l'aise.

S'était-il attendu à ce qu'elle s'excuse ?

— Ecoute, je suis désolée pour hier soir, poursuivit Izzy. Je reconnais que mon comportement n'a pas été très fin. Et je suis désolée aussi pour ton costume. Tu me donneras la facture du pressing. Mais tu pourrais peut-être t'habiller de façon plus adaptée, non ?

— Etant donné que me baigner dans la fontaine ne fait pas partie de mon emploi du temps habituel, le costume est parfaitement adapté à mes activités.

Avec une lenteur délibérée, il prit un stylo, sans doute en or, avant de le faire tourner entre ses doigts.

— Nous devons nous mettre d'accord sur certaines règles à respecter durant ton séjour au *palazzo*.

— Des règles ? Fantastique..., fit Izzy en souriant.

Une expression sévère empreignit les traits de Matteo.

— Bon, d'accord. Vas-y, soupira-t-elle.

— Primo, tu ne te baignes pas dans la fontaine.

— Pourquoi ?

— Parce qu'elle n'a pas été conçue pour cet usage. Ce plan d'eau et sa fontaine ont été dessinés il y a trois siècles par un paysagiste *renommé*, expliqua-t-il en détachant les syllabes.

On aurait dit qu'il s'adressait à une enfant, songea Izzy.

— J'ouvre les jardins plusieurs fois par an aux visiteurs qui viennent parfois de loin pour le voir, poursuivit-il. La fontaine fait partie de la visite, elle intéresse les historiens. Ce n'est ni une baignoire ni une piscine.

— Celui qui a créé cette fontaine était sans doute un petit plaisantin, parce que toute personne normalement constituée a envie de sauter dedans pour se rafraîchir.

Matteo la contempla d'un air si agacé qu'elle se mordilla la lèvre.

— Si je promets de sortir de l'eau dès que je verrai quelqu'un approcher, est-ce que je pourrai m'y baigner ?

Cette fois, son regard se fit menaçant.

— C'est bon, c'est bon ! dit Izzy en roulant des yeux. Plus de baignade à la fontaine — promis, juré !

— Il y a une piscine sur la terrasse, à l'arrière du *palazzo*. Je t'indiquerai la direction dès que nous en aurons terminé.

— Je parie qu'il n'y a pas de statue de Neptune au milieu.

— Secundo, lorsque je te demanderai de faire quelque chose, tu obtempéreras sans protester.

— En d'autres termes, je suis supposée t'obéir, répliqua-t-elle en plissant le nez. Je ne peux pas te le promettre sans savoir de quoi il s'agira. Par exemple, si tu me demandes de manger des huîtres ou un truc aussi répugnant, je ne pourrai pas *obtempérer*.

— Les huîtres sont un mets délicat.

— C'est visqueux et ça me donne envie de…

— Je t'en prie ! Epargne-moi les détails. Il n'y aura pas d'huîtres au menu, mais quand je te demanderai de venir déjeuner avec moi, tu le feras.

— Le problème, c'est que je sais que tu n'as aucune envie de déjeuner avec moi. Et même si j'apprécie le geste, je trouve que ce n'est pas une bonne idée : ce serait trop stressant.

— Déjeuner avec moi serait stressant ?

— Oui. Et si tu veux tout savoir, je suis allée dans le salon des Roses un quart d'heure à l'avance, mais ça m'a découragée.

— Il faut du courage pour entrer dans mon salon ?

— Il y avait une foule de fourchettes et de couteaux sur la table. Et quatre verres différents, murmura Izzy. Alors j'ai pensé que tu allais encore me regarder d'un air condescendant parce que je ne saurais pas lesquels utiliser.

Il y eut un long silence.

— Si je comprends bien, dit enfin Matteo, tu montes sans problème sur une scène sans y avoir été invitée, mais tu n'oses pas pénétrer dans une pièce où la table a été dressée pour le déjeuner ?

— C'est complètement différent. Je chante tout le temps. J'ai confiance en moi, en mes capacités, même si je suis la seule. Je ne mange pas dans des salons sous l'œil critique et rébarbatif de tous ces morts.

Matteo la regarda, l'air abasourdi.

— Tous ces morts ?

— Oui, ces portraits : ces gens sont tous morts, non ?

— Oui, mais…

— C'est très déstabilisant. Chez moi, nous avons des photos de famille, mais tout le monde est encore vivant. Enfin, sauf ma grand-mère, qui est morte l'année dernière, mais ce n'est pas pareil, parce que je l'ai connue. Je trouve ça bizarre, tous ces gens disparus qui vous regardent.

— Je suis un peu perdu, dit-il d'une voix douce. Ton problème, ce sont ces *gens morts*, ou le couvert ?

— Les deux.

— Je refuse de faire décrocher les portraits, mais je peux t'aider à te débrouiller avec les verres et les couverts. C'est très facile, à vrai dire : il suffit de commencer avec ceux qui se trouvent à l'extérieur, et de ne pas poser les coudes sur la table. C'est à peu près tout.

Il s'appuya au dossier de son fauteuil en l'observant avec attention.

— J'ai du mal à croire que tu aies peur de…

— Je n'ai pas vraiment *peur*, coupa-t-elle. Je n'ai peur de rien. Je me sens mal à l'aise, c'est différent. Parce que j'ignore tout des règles à respecter.

— Pourtant, tu ne semblais pas t'inquiéter de quelconques règles quand tu te baignais dans ma fontaine.

— Tu ne vas quand même pas me dire que tu n'as *jamais* été tenté de le faire ?

— Cela ne m'a jamais traversé l'esprit.

— Tu mens. Reconnais-le : tout à l'heure, tu as été tenté de me rejoindre dans l'eau. *Tu y as pensé.* Et si ton assistante n'était pas arrivée, tu aurais ôté ton costume et…

— Pas du tout !

Le ton avait été si brusque qu'Izzy le regarda en écarquillant les yeux.

— Bon, bon. Si tu le dis…

Le ventre soudain noué, elle sentit son cœur se mettre à battre la chamade. Elle repensa au baiser qu'ils avaient échangé et comprit que Matteo pensait à la même chose.

Etait-ce pour cela qu'il semblait prêt à bondir de son fauteuil ? Son regard brûlant descendit fugacement sur la bouche d'Izzy, puis Matteo se leva en un mouvement fluide.

— J'ai du travail.

— Moi aussi. Et je te rappelle que c'est toi qui m'as demandé de venir ici. J'étais très bien dans mon coin.

— Es-tu capable de t'occuper pendant quelques heures sans semer la zizanie dans le *palazzo* ?

— Je ne suis pas un bébé.

Alors qu'elle allait enchaîner avec une réplique bien

sentie, Izzy vit les fines rides auréolant les yeux de Matteo et se sentit aussitôt coupable.

— J'ai l'impression que ta journée n'est pas facile. J'espère que ce n'est pas à cause de moi ?

Après tout, il l'avait amenée chez lui de force. Izzy baissa les yeux sur la pile de journaux posés sur son bureau et déplia ses jambes avant de se lever.

— Ils parlent de la réception ? demanda-t-elle en prenant le premier.

Mais, en dépit de sa légèreté apparente, elle espérait de tout son cœur que la soirée de sa sœur n'avait pas été gâchée par son comportement. Parce que cela n'avait vraiment pas été son intention.

— Par chance, ils semblent s'être focalisés sur Alex et Allegra, répliqua Matteo.

— Vous êtes très solidaires, ton frère et toi.

Venant d'une famille où l'égoïsme était la règle, Izzy se prit à envier le lien unissant les deux frères.

— Oh ! Allegra est superbe sur cette photo ! s'extasia-t-elle. Et cette coiffure lui va à merveille.

L'imaginait-elle ou sa sœur avait-elle l'air tendu ? se demanda Izzy en regardant la photo avec attention.

— Un seul quotidien britannique t'a trouvée plus intéressante que ta demi-sœur, dit Matteo en lui tendant un journal à scandale.

Refoulant son appréhension, elle le prit et lut le gros titre : « Izzy se donne en spectacle. »

— Ç'aurait pu être pire, dit-elle d'une voix mal assurée.

Elle reposa le journal, sans regarder la photo choisie dans leurs archives pour illustrer l'article.

— Si les autres sont pour la plupart positifs, poursuivit-elle, tu dois être content. De toute façon, les gens adorent voir les princes épouser des femmes ordinaires. Alors, pourquoi fronces-tu les sourcils ? Tu m'en veux encore de m'être baignée dans ta fontaine ?

— Disons que je me méfie naturellement d'une femme qui me prend pour son *objectif du jour*.

— Je ne vais pas m'excuser d'avoir des objectifs. Je

me donne beaucoup de mal et j'en suis fière. Je pourrais être allée à cette réception sans autre but que de paraître, comme la plupart des autres invités. Alors que je savais ce que je voulais et que j'ai tout fait pour l'obtenir.

Il s'appuya la hanche contre le bureau en plissant les yeux.

— Je suppose que je devrais te féliciter pour ta franchise.

— A t'entendre, on dirait vraiment que j'ai commis un crime ! Mais tu réagis comme cela parce que tu ne sais pas ce que c'est que d'être une personne ordinaire. Pour toi, c'est facile : dès que tu ouvres la bouche, tout le monde t'écoute. Tu as accès à tous les gens qui t'intéressent. Tandis que moi, je n'ai pas ces opportunités. C'est pour ça que j'ai participé à *Singing Star*. Malheureusement, cela s'est révélé une mauvaise initiative, je sais.

Izzy se mordilla la lèvre.

— J'ai fait tout ce que je pouvais pour que tu me remarques. J'ai effectué des tas de recherches pour savoir ce que tu aimais, mais au fond j'en savais trop peu.

Son aveu fut accueilli par un silence glacial.

— Tu as fait des recherches sur moi ? demanda-t-il enfin d'une voix dangereusement douce. Et qu'as-tu trouvé ?

— Que tu avais des goûts éclectiques. Et que des tas de gens rivalisaient pour attirer ton attention, bien sûr. Alors, je savais que ça ne serait pas facile.

— Mais un peu de compétition ne te faisait pas peur, n'est-ce pas ?

Ses yeux brillaient, remarqua Izzy avec un frisson. Où voulait-il en venir ?

— La compétition fait partie de la vie, il ne faut pas en avoir peur. Si tu as un rêve, il ne faut pas renoncer au premier obstacle et, si c'est important pour toi, tu dois t'accrocher. Si ton plan ne fonctionne pas, eh bien, il faut tenter autre chose.

C'était plus facile à dire qu'à faire, songea-t-elle. En tout cas, Matteo n'avait pas l'air impressionné.

— Serait-ce un trait de famille chez les Jackson ? répliqua-t-il avec un calme presque effrayant. Allegra se fixe-t-elle aussi des *objectifs du jour* ? Vous êtes-vous mises d'accord pour choisir vos princes respectifs ?

Quelle question étrange…

— Allegra est ma demi-sœur et nous ne rivalisons pas, répondit-elle en plissant le front. Et, de toute façon, je ne me suis jamais intéressée qu'à toi. Pour des raisons évidentes.

— Eclaire-moi.

— Pardon ?

— J'aimerais connaître les raisons pour lesquelles tu m'as élu. Puisque je suis censé être ton prince charmant, autant que je sois informé des qualités que tu prises.

Interloquée, Izzy le dévisagea sans comprendre et se repassa la conversation dans la tête. Avait-elle manqué quelque chose ?

— Qui a dit que tu devais être mon prince charmant ?

— Si ton objectif est de m'épouser, dit-il sans répondre à sa question, je dois en savoir un minimum sur tes attentes.

— *T'épouser ?* s'exclama Izzy avec horreur. Qui a parlé d'une chose pareille ? Je ne peux rien imaginer de plus atroce !

— Ton objectif était de me prendre pour cible. Je te cite : *je ne me suis jamais intéressée qu'à toi.*

— Oui, c'est vrai. Mais pas parce que…

Soudain, Izzy comprit. C'était si absurde qu'elle en resta sans voix durant quelques instants.

— Je parlais de tes contacts dans le milieu artistique, reprit-elle. Et du fait que le *Rock'n'Royal Concert* dépend en dernier ressort de toi. Tandis que toi, tu as cru…

Atterrée, elle le regarda dans les yeux.

— Mon objectif était de te persuader de me laisser participer au concert, d'une façon ou d'une autre. Je n'ai jamais, *absolument jamais*, désiré t'épouser ! Je ne veux épouser personne ! Cela ne fait pas du tout partie de ma liste d'objectifs, ni à court ni à long terme, crois-moi !

Un long silence tendu suivit ces paroles tandis qu'une expression incrédule envahissait le visage de Matteo.

— Tu m'as pris pour cible à cause de mes contacts dans le monde de la musique ?

— Oui ! Quand Allegra nous a tous invités à ses fiançailles, j'ai tout de suite pensé que j'avais là une occasion formidable. Au moment où ma carrière s'essoufflait, le destin me redonnait une chance ! Mon objectif était de t'impressionner avec ma chanson.

Au souvenir de la façon dont tout s'était passé, Izzy rougit.

— Mais ça n'a pas marché comme je l'avais prévu…

Il se frotta le front.

— Tu veux dire que tu pensais qu'après t'avoir entendue chanter, je te proposerais de participer au concert ?

— C'était peut-être un peu ambitieux comme objectif…

— Tu as transformé les fiançailles de ta sœur en audition ?

Présenté ainsi, le plan d'Izzy prenait un aspect sordide.

— Non, ce n'est pas tout à fait ça, protesta-t-elle. J'avais écrit la chanson pour elle et j'espérais qu'elle lui plairait…

— Sache que la liste des participants a été établie depuis des mois. T'inviter à en faire partie serait absurde… Je n'ai jamais rien entendu d'aussi ridicule.

— Oh… Eh bien, merci pour le compliment ! Quand les autres blessures de mon ego auront cicatrisé, je m'occuperai de celle-ci.

Profondément meurtrie, Izzy encaissa ce nouveau coup en soutenant le regard de Matteo.

— Chanter était mon premier objectif, mais en second, j'espérais aider aux préparatifs, m'impliquer, poursuivit-elle.

— De quelle façon ?

Lorsqu'il s'adressait à elle de cet air amusé, c'était encore plus douloureux que lorsqu'il employait un ton sarcastique.

— Tu n'es pas obligé de te moquer de moi. Bien sûr que je pourrais aider. Je m'y connais, en musique.

— Je suis difficile à surprendre, mais j'avoue que je suis…

— Moi aussi ! Comment as-tu pu avoir l'arrogance de croire que je voulais t'épouser ? Je ne te connais même pas ! Et tu ne me conviendrais pas du tout. Je ne pourrais jamais vivre avec un type qui refuse de se baigner dans une fontaine.

En réalité, Izzy était terriblement blessée par l'attitude de Matteo.

— Il ne s'agit pas d'arrogance, mais d'expérience. Devenir princesse est le fantasme le plus cher de bien des femmes.

— Eh bien, ce n'est pas mon cas, répliqua-t-elle en se penchant pour enfiler ses espadrilles. Je n'arrive pas à croire que tu aies pu penser une chose pareille.

— Izzy…

— Prendre un homme pour cible en usant de ses attributs physiques, ça porte un nom, coupa-t-elle.

— *Izzy!*

— Qu'est-ce qu'il y a? Je suis trop franche? Je n'ai pas à t'écouter, dit-elle en se redressant. Tu m'as forcée à te suivre, et je suis ici. Tu m'as dit de sortir de la fontaine et je l'ai fait, alors que je m'amusais vraiment. Au fond, jusqu'à présent, je n'ai fait qu'obéir à tes ordres.

Izzy aurait bien aimé lui dire qu'elle ne voulait plus avoir affaire avec lui et sortir la tête haute, mais…

— Je pourrais aider dans les coulisses. Le travail ne me fait pas peur. Je veux seulement voir comment se déroule un événement d'une telle ampleur. *S'il te plaît…*

Si Matteo acceptait, elle donnerait de l'argent à une œuvre caritative et ne jurerait plus jamais, se promit-elle en croisant les doigts dans son dos.

Durant un long moment, il la regarda en silence avant de secouer la tête.

— Je ne veux pas que tu viennes semer la zizanie dans les coulisses.

Visiblement, il avait dit son dernier mot.

A cet instant, le téléphone sonna et il décrocha.

— … Oui, je l'ai écoutée, dit-il en regardant toujours Izzy. Le style ne colle pas… Non, je ne sais pas, mais il leur reste quarante-huit heures pour trouver autre chose…

De quel *style* s'agissait-il ? se demanda Izzy. Se forçant à détourner les yeux, elle laissa errer son regard dans la pièce et vit une série de photos en noir et blanc d'artistes célèbres. Des interprètes et des musiciens qu'elle admirait depuis toujours *et que lui connaissait personnellement.*

Quand il reposa le téléphone, elle désigna les photos.

— Pas mal, tes amis ! dit-elle sans dissimuler son envie.

— Hélas, aucun d'eux ne semble capable de produire *la* chanson pour le single de la fondation.

Izzy sentit un frisson la parcourir de la tête aux pieds.

— Quel style de chanson cherches-tu ? demanda-t-elle précipitamment. Je pourrais peut-être t'aider à la trouver.

— Tu ne renonces jamais, hein ?

— Non. Et si j'étais un homme, les gens me loueraient pour ma ténacité, mais chez les femmes ça fait mauvais genre. Va savoir pourquoi…

Préférant éviter la réplique cinglante qui n'aurait su tarder, elle se résolut enfin à se diriger vers la porte, la tête haute.

— Oublie ce que j'ai dit, laissa-t-elle tomber d'un ton détaché. Et ne te donne pas la peine de me raccompagner, je connais le chemin.

— Je t'interdis de t'en aller maintenant. Et cela n'a rien à voir avec le fait que tu sois une femme. Tu ne vas pas nier que ton dernier disque a été un fiasco ?

Ce n'était pas une gifle, mais un coup de poing. L'espace d'un instant, Izzy en eut le souffle coupé.

— Non, je ne le nie pas. Et merci de me le rappeler parce que si personne ne me le balance à la figure de temps en temps, mon ego prend des proportions démesurées. Tu as tout à fait raison : ç'a été un fiasco. Je dirais même un échec monumental. Et maintenant que nous sommes enfin d'accord sur quelque chose, je te laisse travailler !

— J'essaie de trouver une chanson qui remporte un succès commercial immédiat.

— Et comment une ringarde comme moi pourrait-elle savoir quoi que ce soit en matière de succès, n'est-ce pas ?

L'humiliation et le sentiment d'échec ne la quittaient jamais, mais en même temps ils stimulaient Izzy. Elle aurait pu préciser que ce n'avait pas été *son* disque, mais à quoi bon ?

Par ailleurs, ce fiasco lui avait enseigné la deuxième leçon la plus importante de sa vie : si elle avait la chance de rechanter un jour, ce seraient des paroles et une musique écrites par elle. Et si elle ratait son coup, elle n'aurait qu'à s'en prendre à elle-même.

Gardant le sourire aux lèvres par pure fierté, Izzy ouvrit la porte.

— Comme je vois que je te suis aussi utile que ta fontaine, je te laisse.

— Attends !

Au moment où elle allait franchir le seuil sans tenir compte de l'ordre qu'il venait de lui lancer, Izzy vit la porte se refermer devant son nez et une silhouette virile lui bloquer le passage.

— Tu ne t'en vas pas quand je suis en train de te parler.

— Je m'en vais quand on me dit des choses désagréables.

Izzy sentait sa fureur monter, mêlée à une émotion bien plus dangereuse.

— Excuse-moi, je voudrais sortir.

— Pour aller où ?

A son grand dam, Izzy sentit une grosse boule se nicher dans sa gorge.

— J'ai libéré une heure cet après-midi pour te faire visiter les lieux, poursuivit-il. Allons-y maintenant.

— Garde ça pour les visiteurs qui viennent en groupe.

— Tu dois savoir où se trouvent les limites.

Izzy éclata d'un rire sans joie, proche du sanglot.

— Je crois que je sais où elles s'arrêtent, Monsieur, dit-elle en levant les yeux vers son visage.

Elle le regretta aussitôt : ses traits sombres, si sensuels, achevèrent de la déstabiliser.

— Je peux trouver mon chemin toute seule et je ne voudrais surtout pas que tu perdes encore une minute de ton précieux temps pour t'occuper d'une femme comme moi.

Cette fois, lorsqu'elle tendit la main pour ouvrir la porte, il s'effaça et la laissa passer.

Elle l'avait pris pour cible à cause de ses relations dans la musique ! Et non parce qu'elle s'était vue comme sa future princesse.

Matteo se lança à sa poursuite et finit par la rattraper au moment où elle traversait la cour en direction de la roseraie.

Rien qu'à voir ses épaules raides, il comprit qu'il l'avait blessée et se maudit pour son manque de tact. Il n'avait pas besoin de devoir *en plus* gérer les états d'âme d'Izzy.

Car elle était capable de s'en aller, il en était certain, même s'il ne la connaissait pas depuis longtemps. Or il ne pouvait prendre aucun risque au moment des fiançailles de son frère. Aussi fallait-il qu'Izzy reste au *palazzo*.

Ce qui mettait Matteo face à un dilemme : devait-il mentir pour lui faire plaisir ? Lui dire qu'elle avait une voix superbe et qu'elle serait la révélation de l'année ?

— Izzy, attends !

Elle ne s'arrêta pas, ses boucles blondes se soulevant sur ses épaules et dansant sur son dos à chaque pas.

— J'ai dit : *attends*, cria-t-il d'une voix autoritaire.

Malheureusement, Izzy était rebelle à toute autorité… Elle continua son chemin, ses espadrilles s'enfonçant dans les graviers.

— Je n'ai pas l'habitude de courir après les invités, dit Matteo en lui posant la main sur l'épaule.

Elle se dégagea d'un geste vif.

— Je ne suis pas une *invitée* ! Et cesse de faire semblant. Tu ne peux pas supporter ma vue, ce qui est parfait parce que moi, je ne peux pas supporter l'atmosphère qui règne ici. Si je reste un jour de plus, je vais étouffer !

— *Madre di Dio !* Vas-tu enfin t'arrêter et m'écouter !

A bout de ressources, il lui prit le bras et la fit pivoter vers lui, mais il s'y prit trop vite, si bien qu'elle perdit l'équilibre. Lorsque son corps s'appuya contre le sien, la réaction fut immédiate et Matteo lâcha aussitôt la jeune femme.

Le regard bleu d'Izzy plongea dans le sien.

— Oui, reculez, Votre Altesse, et nous ferions mieux d'éviter ce genre de situation : je ne souhaite pas plus être attirée par vous que vous par moi.

Izzy Jackson était vraiment la femme la plus exaspérante qu'il eût jamais rencontrée. *Mais aussi la plus sexy.* A un point qui le perturbait beaucoup trop. Matteo ne laissait jamais sa libido l'emporter sur sa raison et pourtant, avec Izzy, il se trouvait acculé aux limites de son *self control*.

D'ailleurs, il les avait déjà franchies une fois…

— Tu es en colère parce que je ne te propose pas de participer à l'organisation du concert. Mais, franchement, je ne vois pas de quelle manière tu pourrais nous aider. Tu es…

— Qu'est-ce que *je suis*, Monsieur ? Une chanteuse de seconde zone, c'est ça que tu voulais dire ? Qu'est-ce que tu en sais ? Tu étais si pressé de m'éloigner de la scène que tu ne t'es même pas donné la peine de m'écouter. Lance-moi toutes les atrocités que tu voudras à la figure, mais ne dis pas que ma voix est nulle, parce que je *sais* que c'est faux !

Cette fois, il devait y aller en douceur, comprit Matteo.

— J'ai regardé quelques épisodes de *Singing Star*.

Un silence total accueillit ses paroles et il vit le rose envahir ses joues. Mais, au lieu de lui envoyer une réplique bien sentie, Izzy devint écarlate et referma les bras autour de son buste.

— Oh ! dans ce cas, je ne peux pas t'en vouloir. C'était nul. Archi nul.

Décidément, Izzy Jackson n'avait pas fini de le surprendre, songea-t-il, ébranlé par sa franchise.

— Ce genre d'émission n'est pas destiné à repérer les talents, dit-il. Leur seul but est de faire de l'argent.

— Je suis d'accord avec toi. Mais cela ne veut pas dire que ceux qui y tentent leur chance n'ont pas de talent.

— Qu'espérais-tu ?

Le silence retomba entre eux. Matteo l'avait vue malicieuse, flirteuse, moqueuse, mais la vulnérabilité qu'il découvrait soudain provoquait une drôle de sensation en lui.

— Qu'est-ce que ça peut faire ? dit-elle enfin en redressant les épaules.

— Tu devais avoir une bonne raison d'y participer.

— Pourquoi se contenter de chanter devant une centaine de personnes quand on peut le faire devant des millions ?

Elle éludait la question, comprit Matteo, mais il résista à

l'envie d'aller plus loin. Moins il en saurait sur elle, mieux cela vaudrait. Moins de temps il passerait avec elle…

D'ailleurs, il aurait pu la quitter sur-le-champ et regagner son bureau, au lieu de rester là à la regarder prendre un coup de soleil.

— Je t'emmène visiter les jardins, dit-il d'une voix dure. Et tu ferais mieux de mettre de l'écran solaire.

Quand elle leva les yeux vers les siens, Matteo comprit qu'elle pensait à la même chose que lui : la chaleur du soleil était moins dangereuse que celle qui palpitait entre eux.

— Je croyais que tu étais submergé de travail.

Luttant contre le désir malvenu de l'embrasser, Matteo recula d'un pas.

— Cela ne m'empêche pas de remplir mes devoirs de…

— Tes devoirs ! Tu veux dire que tu préfères garder un œil sur moi !

En séchant, ses cheveux avaient bouclé encore davantage et ruisselaient sur ses épaules, remarqua-t-il. Malgré lui, il se rappela leur douceur sur sa peau.

— Puisque tu aimes tant l'eau, nous allons commencer par la piscine.

— Très bien, approuva-t-elle en lui adressant un regard bizarre. Montre-moi la piscine officielle, bien que je sois sûre de préférer l'autre.

S'efforçant de repousser les visions de son corps à peine vêtu d'un Bikini rose fuchsia, Matteo s'avança dans la roseraie et gravit les quelques marches menant à la piscine.

Izzy contempla le bassin, ainsi que la vue époustouflante sur la mer.

— C'est superbe ! Si je t'épousais, je pourrais savourer ce panorama fabuleux tous les jours.

Elle sourit et lui serra doucement le bras.

— Je plaisantais ! Est-ce que tu te rends compte que dès qu'on parle mariage, tu blêmis ?

Matteo inspira à fond.

— Derrière cette porte, il y a des cabines.

— Je peux me déshabiller ici.

Elle fit mine de glisser la fermeture Eclair de son short puis éclata de rire.

— Si seulement tu voyais ta tête ! C'est juste à cause du concert ou tu es toujours aussi coincé ?

— Je ne suis pas coincé, répliqua-t-il entre ses dents.

— Tu te sentirais mieux si tu ôtais ce costume, répliqua-t-elle d'un air compréhensif. Il fait trop chaud.

— J'ai eu des rendez-vous toute la matinée.

— En tout cas, j'aime cet endroit. C'est tellement paisible… A vrai dire, je n'ai pas l'habitude du calme, mais ça me plaît.

Lorsqu'elle se pencha pour ramasser une feuille flottant à la surface de l'eau, son mouvement attira le regard de Matteo sur ses longues jambes minces. Soudain, sur le haut de sa cuisse, il aperçut un minuscule tatouage représentant un papillon.

— Je propose de faire une trêve, poursuivit-elle. Parce que, franchement, tous ces conflits nuisent à ma concentration.

Vu que la sienne était réduite en miettes, il aurait dû accueillir sa proposition avec empressement.

— Une trêve ? répéta-t-il, incapable de détourner les yeux du papillon.

— Oui, dit-elle en se redressant.

Elle repoussa une mèche de cheveux de ses yeux.

— Tu continues à travailler de ton côté, et moi du mien.

— Il y a cinq minutes, tu étais offensée.

— Je suis très résistante, répliqua-t-elle avec un haussement d'épaules. Se casser souvent la figure présente au moins un avantage : on apprend à rebondir. Bien sûr, ça m'a porté un coup que tu ne me laisses pas participer à l'organisation du concert, mais je ne garde jamais rancune à personne. La vie est trop courte. Alors, on se calme ?

Matteo était tout sauf *calme*, ce qui était absurde. Il fréquentait des femmes d'une beauté somptueuse et d'une sophistication extrême, alors pourquoi un short en jean effiloché et un tatouage minuscule produisaient-ils un effet aussi dévastateur sur sa libido ?

— Tu te sens bien ? demanda-t-elle d'un air inquiet. Dis quelque chose. De préférence quelque chose d'agréable…

C'était à cause de sa bouche, décida Matteo. Oui, sa bouche était une véritable œuvre d'art, avec cette courbe au dessin parfait, si prometteuse…

Soudain, il eut un mal fou à combattre les pulsions qui rugissaient en lui. D'autant qu'il était certain qu'Izzy se trouvait en proie au même combat intérieur.

Ils n'avaient même pas besoin de se regarder pour attiser le feu qui brûlait entre eux.

— Hum…, fit-elle en s'éclaircissant la voix.

Elle détourna les yeux et suivit le vol d'un petit oiseau qui rasait la surface de l'eau, laissant un pli gracieux derrière lui.

— Parlons-en et débarrassons-nous-en une fois pour toutes, continua-t-elle. Tu penses à ce baiser et moi aussi. Mais tu m'as embrassée parce que tu étais en colère contre moi, c'est tout. Nous avions bu tous les deux…

Non, Matteo n'avait quasiment rien bu et cette absence d'excuse rendait ses réactions encore plus dérangeantes.

— Finissons ce petit tour et tu retourneras travailler, reprit-elle. Comment fait-on pour se rendre à la plage ? Je suis plus mer que piscine.

Après l'avoir vue dans la fontaine, il l'imagina dans la mer, ces longues jambes battant l'eau d'un mouvement fluide et gracieux. De là à les imaginer s'enroulant autour de sa taille…

Matteo défit les premiers boutons de sa chemise.

— Il n'y a qu'un chemin, très escarpé. Il faudra que tu fasses attention à ne pas trop t'approcher du bord de la falaise, sinon tu risquerais de tomber. Je vais te montrer.

Il s'avança pour ne plus la regarder et la conduisit vers les marches de pierre avant de traverser la pelouse qui menait aux falaises.

— L'amphithéâtre où aura lieu le concert se trouve près d'ici ? demanda-t-elle.

Une fois de plus, elle avait ôté ses espadrilles et les

balançait au bout de ses doigts tandis qu'elle marchait dans l'herbe, de sa démarche de ballerine.

— C'est à environ une heure d'ici, vers le sud, dit-il en arrachant son regard des ongles de ses orteils peints en rose vif. Tu portes plus souvent tes chaussures à la main qu'aux pieds.

— Oui, parce que je craque pour des chaussures, avant de constater que je ne peux pas marcher avec. J'ai regardé le concert à la télévision, l'année dernière. C'était incroyable.

Elle s'étira, offrant son visage au soleil.

— Je suppose que ce n'est pas la peine de te demander si tu peux m'obtenir une place ? Mais peut-être que tu me laisserais regarder : je me ferais toute petite dans les coulisses.

Izzy dans les coulisses ? Impossible. Il serait sans cesse troublé par sa bouche douce et sensuelle, ses yeux rieurs.

— Tu auras regagné l'Angleterre avant le concert.

— Tu as peur que je m'empare du micro, c'est ça ? Au fait, comment t'es-tu trouvé impliqué dans le milieu de la musique ? Ce n'est pas banal, pour un prince.

Elle se pencha pour cueillir une marguerite, dévoilant de nouveau le petit tatouage.

Matteo eut l'impression de suffoquer.

— J'avais des amis dans ce milieu. Un jour, nous avons pensé que ce serait amusant de collecter de l'argent en organisant un concert de rock.

— Tu t'amuses et tu collectes des fonds en même temps, c'est génial !

Elle fit passer la tige d'une marguerite dans la tête d'une autre.

— Le concert est sponsorisé par toutes sortes de célébrités. Vous avez des amis haut placés, Monsieur. Je suppose que vous parlez une bonne douzaine de langues ?

— Tu n'as pas trouvé la réponse, au cours de tes recherches ?

Fasciné, Matteo admira la dextérité avec laquelle elle réalisait une guirlande de marguerites.

— J'ai découvert que tu avais un QI impressionnant,

dit-elle d'un ton désinvolte. Et que tu t'étais enrôlé dans l'armée de l'air. Tu as piloté des avions de chasse ultra-rapides, jusqu'à ce que le palais décide que c'était trop dangereux. Alors, tu as dû te rabattre sur les hélicoptères. Ça a dû être dur.

— Ce sont tes recherches qui t'ont appris cela ?

— Tu n'as pas besoin d'être désagréable, surtout quand quelqu'un se montre compatissant à ton égard.

Elle glissa la main dans la fine guirlande de marguerites et la fit remonter sur son avant-bras.

— Quand on est forcé de renoncer à quelque chose auquel on tient, on a parfois l'impression de ne plus pouvoir respirer, poursuivit-elle.

Ce n'était pas exactement ce qu'il avait ressenti à l'époque, mais Matteo n'avait pas l'intention de discuter d'un sujet aussi personnel. Ni avec elle ni avec quiconque.

Izzy lui jeta un regard en biais.

— Alors, pourquoi as-tu renoncé à piloter des hélicoptères ?

C'était moins dérangeant de répondre à cette question.

— A cause des trop nombreuses obligations officielles qui m'incombaient et qui sont devenues ma priorité.

— Parce que ton frère était trop occupé avec ses affaires pour remplir sa part.

Matteo fronça les sourcils.

— Jusqu'où es-tu allée dans tes recherches, exactement ?

— Je voulais me préparer à discuter avec toi si l'occasion s'en présentait. Je cherchais à te comprendre. Donc, quand ton frère s'absentait pour ses affaires, tu lui servais de couverture. Hum…

Elle s'interrompit et le regarda d'un air songeur.

— Je soupçonne que tu es soulagé de ne pas être l'aîné. Tu as des idéaux puissants et le sens du devoir, mais tu ne veux pas de toute cette pompe inhérente au statut de prince héritier. C'est pour cela que tu aimes cet endroit. Tu peux remplir le rôle qu'on attend de toi tout en vivant comme tu l'entends.

Stupéfait de la justesse de son analyse, Matteo haussa les sourcils.

— Tu as découvert tout cela à partir d'un moteur de recherche ?

— J'ai comblé les lacunes.

Avec une perspicacité étonnante.

— La fortune et les privilèges vont de pair avec les responsabilités, dit-il. Je l'ai toujours su.

Ce n'était pas vrai, bien sûr. Il lui avait fallu une dure leçon pour vraiment comprendre les obligations liées à son statut.

— Les gens placent des attentes en toi, poursuivit-il. C'est un peu comme diriger une entreprise, sans doute.

Izzy cueillit une marguerite, puis une deuxième et démarra une nouvelle guirlande. Elle semblait prendre un réel plaisir à cette activité si simple, s'émerveilla-t-il en l'observant.

— Mais, en ce moment, les gens ne sont pas contents. Ils vous trouvent trop détachés du monde réel : c'est pour cela que vous vous agitez autour de ces fiançailles.

Elle lui jeta un bref regard avant de continuer.

— Les scandaleux Jackson ne représentent pas le choix idéal, mais vous espérez qu'Allegra constituera une sorte de pont entre ta famille et tes sujets.

— C'est le choix d'Alex…

— Mais tes parents le laissent faire parce qu'ils pensent que cela pourrait les aider à restaurer le prestige de la monarchie.

Elle leva le bras et sourit à son second bracelet.

— Joli, tu ne trouves pas ? Je n'en avais pas fait depuis l'âge de six ans. Dommage qu'elles doivent se faner.

D'habitude, Matteo trouvait cette partie des jardins apaisante mais, aujourd'hui, l'atmosphère était tout sauf paisible.

— Il faut que je retourne travailler. A partir de maintenant, j'aimerais que tu dises où tu vas quand tu quittes le *palazzo*.

— Je dois remplir une feuille de route chaque fois que je

sors ? Et si je ne sais pas où je vais à l'avance ? Ces jardins sont immenses. J'ai bien envie de les explorer.

Elle regarda en direction des falaises.

— Qu'est-ce que c'est, ce bâtiment blanc ?

— Mon studio d'enregistrement.

Matteo vit son visage changer.

— Tu as un studio d'enregistrement à domicile ? demanda-t-elle, les yeux brillants. Un vrai ?

— C'est un territoire interdit.

— Je peux le voir ?

Elle tremblait presque d'excitation, constata-t-il. Et s'il ne cédait pas, elle serait capable d'y entrer par effraction.

— Les équipements qui s'y trouvent valent une fortune.

— Je veux voir, pas voler ! dit-elle en s'élançant déjà.

Si vite, que Matteo dut allonger le pas pour la suivre. Une fois arrivée devant la porte, elle le regarda sortir la clé de sa poche en bouillant visiblement d'impatience. Et, quand il ouvrit la porte, elle poussa un petit cri.

— Je suis morte et je suis arrivée au paradis… Pourquoi n'ai-je pas découvert que tu avais un studio en effectuant mes recherches ?

— Il y a aussi une petite salle de spectacle et des tas d'instruments. Il y a beaucoup d'équipements très onéreux, ici, c'est pour cela que nous fermons tout à clé.

Son téléphone sonna. Alors qu'il aurait dû se sentir soulagé de cette interruption, Matteo en fut irrité. Voyant que l'appel provenait de son père, il y répondit tandis qu'Izzy se dirigeait vers le piano, comme attirée par un aimant.

Tout en écoutant le roi le prévenir qu'Isabelle Jackson ne pouvait qu'attirer des ennuis à la famille royale, Matteo la regarda effleurer les touches du bout du doigt : ce simple geste était d'une sensualité insensée…

— J'ai appris beaucoup de choses sur elle, disait son père. Elle va essayer de se servir de toi.

Izzy releva la tête et leurs regards se croisèrent. Visiblement, son père avait parlé assez fort pour qu'elle l'entende. Et même si elle ne comprenait pas l'italien, elle avait dû surprendre son nom.

Lorsque son père eut raccroché, Izzy le regardait toujours.

— Juste par curiosité : il a peur que je me serve de toi *sexuellement*, ou *professionnellement* ? demanda-t-elle d'un ton détaché. Je vais être très franche : sexuellement, c'est hors de question, parce que ça me compliquerait la vie. En revanche, je me servirais de toi sans hésiter pour faire avancer ma carrière. Si tu me le permettais, bien sûr.

Matteo poussa un long soupir.

— Mon père s'inquiète à propos de tout ce qui pourrait menacer la monarchie.

— Et une Jackson suffit dans la famille…

Ses doigts glissèrent sur les touches.

— Alors les plus grandes stars viennent enregistrer ici, au calme.

Ses cheveux tombèrent devant son visage, dissimulant ses traits si bien que Matteo ne put savoir si elle était blessée, offensée, ou furieuse.

Il ne savait pas non plus ce qu'il ressentait lui-même.

— Oui. Il y a tout ce dont ils ont besoin : producteurs, ingénieurs du son, matériel de pointe…

Pour l'instant, il y avait surtout la bouche d'Izzy, l'arrondi de ses épaules et la douceur de sa peau. Et ses jambes interminables, fuselées. Soudain, il repensa au papillon.

— Je peux rester un peu ici ? J'aimerais essayer le piano.

— Tu sais en jouer ?

— Non, je pensais seulement le désaccorder.

Cette fois, il y avait eu une inflexion menaçante dans sa voix et, quand elle releva la tête, il vit une lueur farouche briller au fond de ses yeux.

— Est-ce que tu te rends compte que tu es parfois affreusement blessant et condescendant ?

La pièce étant insonorisée et sans fenêtre, rien ne pouvait distraire Matteo de cette femme, du parfum subtil et fleuri qui lui flattait les narines, le rendant peu à peu fou.

Lorsque son téléphone sonna de nouveau, il l'ignora.

— Je ne suis pas condescendant, mais cet endroit n'est pas un terrain de jeu. Il a été conçu pour de vrais musiciens.

— Et moi, je n'en suis pas une, bien sûr !

— Je voulais juste dire que…

— Je sais parfaitement ce que tu voulais dire. Tu veux bien m'excuser ? Si je restais cinq minutes de plus avec toi, je perdrais toute confiance en moi.

Après avoir ramassé ses espadrilles d'un geste vif, elle passa devant lui.

— Et tu peux rassurer ton père : quand je veux quelque chose, je ne me cache pas : je le fais toujours en face. Et merci pour la visite, c'était très intéressant.

Quand elle ouvrit la porte, la brise venant de la mer souleva ses cheveux.

Matteo la regarda enfiler ses espadrilles, fou de désir.

— Le dîner est servi à 20 heures, dit-il en fermant la porte.

— Je le prendrai dans ma chambre, répliqua-t-elle en se retournant. C'est comme ça, pour les prisonniers, non ?

5.

C'était très bien de croire en soi, mais à quoi cela servait-il, si tout le monde vous descendait à la moindre occasion ?

Submergée par un mélange de colère, d'humiliation et de découragement, Izzy enfila son pyjama et se coucha en chien de fusil sur le lit. Après tout, les gens avaient peut-être raison : sa voix était nulle, elle ne possédait aucun talent et personne ne la prendrait jamais au sérieux.

Regarde-moi, je ne suis pas celle que tu vois,
Au plus profond de moi…

Furieuse d'avoir cédé à ce lamentable accès d'auto-apitoiement, Izzy se redressa et essuya les larmes qui roulaient sur ses joues.

Si elle renonçait, elle n'y arriverait jamais, c'est sûr…

Parler à quelqu'un lui ferait du bien, se dit-elle en sortant son téléphone de son sac. Elle le serra entre ses doigts : si elle appelait sa mère, elle aurait droit à une énième leçon sur la façon de se relever après un coup dur, alors que ce dont elle avait envie, c'était de paroles de réconfort et d'un énorme câlin.

D'où lui venait ce fantasme ? Chantelle n'avait en effet jamais été portée sur ce genre de contact… Au contraire. Par conséquent, Izzy avait renoncé depuis longtemps à tout désir de rapprochement avec elle. Qu'aurait-elle pu espérer d'une femme qui ne voulait pas qu'on l'appelle *maman* ? Il fallait dire Chantelle, comme si le fait de l'appeler par son prénom lui garantissait une jeunesse éternelle !

Soudain, Izzy se revit petite fille, assise dans les cailloux et tendant les bras vers sa mère en pleurant.

— Si je te relève, Izzy, tu n'apprendras jamais à le faire toute seule. Arrête de pleurer et debout !

De temps en temps, songea Izzy avec tristesse, ç'aurait été tellement agréable d'avoir quelqu'un qui vous tende la main.

Au moment où elle allait envoyer un texto à Allegra, elle se souvint qu'elle n'avait pas le droit d'utiliser son téléphone.

De toute façon, ça n'aurait servi à rien. Dans son entourage, personne n'avait jamais compris sa passion pour la musique, et cela ne semblait pas près de changer.

En dépit de ce qu'ils croyaient tous, Izzy ne chantait pas pour attirer l'attention. Elle chantait parce qu'elle n'avait pas le choix : elle *devait* chanter. Depuis sa plus tendre enfance, elle avait eu des paroles et des mélodies dans la tête. Chantelle devenait folle à force de l'entendre chanter tout le temps, mais Izzy ne pouvait pas s'en empêcher. C'était aussi vital pour elle que de respirer. Cela faisait partie d'elle-même.

Elle repensa à la réaction de Matteo. De tous les rejets qu'elle avait essuyés dans sa vie, c'était le sien qui la blessait le plus. Pour lui, elle n'avait *aucun* talent. C'était clair.

Izzy se leva et se dirigea vers la luxueuse salle de bains. Là, elle se démaquilla avant de s'asperger le visage d'eau froide. Quand elle se regarda dans le miroir, elle vit des yeux rouges qui tranchaient sur un teint d'une pâleur effrayante.

Bon, la journée n'était pas terminée, se dit-elle en contemplant son reflet. Il suffisait de rester con-cen-trée.

Dire que Matteo avait un studio à domicile… Il pouvait y aller n'importe quand et jouer : de la batterie, de la guitare sèche ou électrique, du piano…

Ses doigts la démangèrent en songeant au bel instrument dont elle avait effleuré les touches. Si seulement Matteo lui avait donné la permission de l'utiliser…

Après avoir quitté la salle de bains, elle s'avança vers la fenêtre donnant sur les jardins éclairés par la lune et laissa errer son regard en direction du studio.

Le piano étant installé dans la première pièce, elle n'avait pas besoin d'aller dans les autres, où se trouvaient les coûteux équipements mentionnés par Matteo. Il suffisait donc de franchir la première porte.

Un lent sourire se forma sur ses lèvres : il ne l'avait pas verrouillée avant de la suivre, se souvint-elle tout à coup. Lorsqu'elle s'était retournée avant de s'éloigner, elle l'avait vu fermer la porte, *mais pas à clé…* Le prince s'était-il rendu compte ensuite de son oubli ?

Etendu sur le sofa de son bureau, Matteo écouta le dernier enregistrement.

Se montrait-il trop exigeant ? Cette chanson n'était pas géniale, mais acceptable. Bonne, même.

Il tendit la main vers la canette de bière posée sur la table basse en poussant un juron. Il ne voulait pas du *bon.* Il voulait du fascinant, du bouleversant, du renversant, du sublime… Une mélodie que tout le monde aurait aux lèvres et des paroles qui resteraient gravées dans les esprits.

Jusqu'à présent, il avait oublié celles qu'on lui avait transmises aussitôt après les avoir écoutées. Il lui fallait de l'inoubliable. *La* chanson qui touche les gens *au cœur.*

Il finit sa bière en se moquant de lui-même. Qui cherchait-il à duper ? Il voulait que la chanson rapporte de l'argent, des tonnes d'argent. Qu'elle soit fabuleuse au point que le monde entier la télécharge. Que les sites internet musicaux explosent. Mais rien de ce qu'il avait entendu ne dégageait l'émotion requise pour remporter un succès mondial.

Après avoir sorti son mobile de sa poche, Matteo rédigea un bref e-mail et l'envoya.

Le temps filait à toute allure et les choix se réduisaient tout aussi vite. Et en plus des problèmes concernant le concert, il en avait récolté un supplémentaire : Izzy Jackson.

Comme annoncé, elle ne s'était pas montrée au dîner, mais au lieu de l'envoyer chercher Matteo en avait profité pour souffler un peu.

Il bondit sur ses pieds et s'avança vers les hautes fenêtres. Le lac était éclairé par la lune mais, au-delà, tout était plongé dans l'obscurité, y compris le studio…

Bon sang, il avait été tellement fasciné par sa démarche chaloupée, avec ses hanches moulées par ce short provocant, qu'il avait oublié de verrouiller la porte avant de partir ! Izzy l'avait remarqué, il en était sûr : elle ne laissait rien passer. Surtout quand elle flairait une occasion d'atteindre l'un de ses fichus *objectifs*.

La colère se mit à bouillir en lui, le soulageant presque : ce sentiment était plus facile à gérer que les visions torrides qui l'avaient perturbé toute la soirée.

Il avait bien précisé que le studio était un territoire interdit, se rappela-t-il en sortant bientôt du *palazzo* pour s'avancer à grandes enjambées dans l'allée. Il renfermait un matériel sophistiqué, sans parler des instruments… Ce n'était pas un endroit pour une novice.

Sa colère redoublant à chaque pas, Matteo parvint au studio en un temps record. Cette femme ne respectait rien, ni les règles de la bienséance ni la propriété privée.

Lorsque, réprimant à grand-peine sa fureur, il ouvrit la porte, il s'arrêta net.

Une voix fabuleuse s'élevait dans le studio, d'une qualité rare et dégageant une émotion si forte qu'elle chassa toute pensée de son esprit, sauf une : c'était *la* chanson, celle qu'il attendait.

Matteo était arrivé furieux, et à présent il ne pouvait qu'écouter la voix d'Izzy qui lui flattait les oreilles tandis que ses doigts couraient sur les touches, créant des accords d'une beauté à couper le souffle.

Emotion, beauté, originalité, cette chanson rassemblait toutes les qualités nécessaires et même davantage. Matteo était sidéré par la qualité du timbre d'Izzy. D'autre part, son interprétation dégageait une sophistication qui dépassait largement tout ce qu'il avait entendu ces derniers mois.

Lorsque, après avoir atteint une note élevée pour son registre de voix, Izzy la tint pendant quelques secondes, Matteo tressaillit. Elle était sensationnelle, à tel point qu'il s'empêcha de respirer, de crainte de la déranger et d'interrompre le flot qui sourdait d'elle.

Cette fois, Izzy ne chantait pas pour un public mais pour

elle seule, dans la pénombre, et Matteo n'était pas distrait par une robe pailletée, des lèvres rouge vermillon et des talons aiguilles. Il n'y avait que cette femme et cette voix, dont le timbre riche faisait naître des sensations fabuleuses en lui. Mais celles-ci firent bientôt place à une terrible culpabilité. Il s'était complètement trompé sur Izzy en la traitant d'opportuniste, en disant qu'elle n'avait aucun talent.

Prenant soudain conscience de son erreur, Matteo prêta attention aux paroles de la chanson :

Regarde-moi, je ne suis pas celle que tu vois...

C'était tout à fait approprié, se dit-il tandis que les remords l'accablaient. Lui qui se targuait de pénétrer sous la surface des choses et des gens, il avait été aveugle. Il s'était fié aux commentaires stupides de la presse, à la robe pailletée, et il l'avait jugée — sans l'écouter.

Par ailleurs, l'accompagnement était original et ne ressemblait pas à l'œuvre d'une débutante. Mais ce qui le fascinait le plus, c'était la pureté du timbre de sa voix. Avait-elle chanté comme cela, le soir des fiançailles d'Alex ?

Il se força à se remémorer le moment où elle s'était emparée du micro. Le peu qui lui revint ne ressemblait en rien à ce qu'il entendait maintenant. Sa voix avait été dure et assez forcée. Fausse. Désespérée.

Regarde-moi, je ne suis pas celle que tu vois...

Ces paroles auraient pu s'adresser à lui.

Soudain le silence envahit l'espace. Après quelques secondes, alors que Matteo allait manifester sa présence, Izzy la sentit. Peut-être avait-il fait un léger bruit ? En tout cas, elle tourna vivement la tête dans sa direction.

— Il y a quelqu'un ?

Elle dut le reconnaître dans la semi-obscurité car elle soupira avant d'enchaîner :

— Qu'est-ce que tu fais ici, au beau milieu de la nuit ?

— Je pourrais te retourner la question.

Lorsqu'il appuya sur l'interrupteur et que la lumière jaillit, elle cligna des yeux en refermant les bras autour de son buste. Elle était en pyjama, rose pastel imprimé... de *grenouilles* vert pomme !

— Eteins !

Durant quelques instants, ils se regardèrent en silence. Même sans maquillage, ses cils étaient longs et épais, contrastant avec le bleu profond de ses yeux. Elle avait un si doux visage, songea Matteo.

— Arrête de me regarder comme ça ! lança-t-elle d'un ton furieux.

— Tu joues souvent du piano en pyjama ?

— Je ne m'attendais pas à être espionnée.

D'une main crispée, elle repoussa ses cheveux en arrière. Visiblement, elle se sentait mortifiée d'être surprise dans une tenue aussi négligée et le visage nu.

Il aurait pu lui dire qu'elle était aussi attirante sans maquillage qu'avec. En outre, il pouvait maintenant imaginer à quoi elle ressemblerait le matin, après avoir passé une nuit de passion dans ses bras…

Les joues roses, elle se leva avant de refermer le couvercle sur le clavier avec précaution.

— Vas-y, fais-moi tes reproches. Je sais que je n'aurais pas dû venir ici, mais franchement, je ne faisais pas de mal et je ne pouvais pas deviner que tu allais venir. Tu m'as fait suivre ?

— Je travaillais et j'ai soudain pensé que j'avais oublié de verrouiller la porte du studio.

— Tu travailles à 2 heures du matin ?

Elle ramassa des feuilles de papier posées sur le piano.

— Oui. Elle est de qui, cette chanson ?

— Pourquoi veux-tu le savoir ?

— Elle me plaît beaucoup et je voudrais que celui qui l'a écrite travaille pour moi. Tu as son numéro de téléphone ?

Fasciné par les courbes délicieusement féminines se dessinant sous le fin tissu, Matteo s'efforça de se borner au domaine professionnel.

— Tu es vraiment sexiste, tu sais ?

— Celui ou *celle*, répliqua-t-il avec impatience en sortant son portable de sa poche. Quel est son nom ?

— Cet auteur n'écrit pas pour les autres.

— Cette chanson a été écrite pour toi ?

— Tu croyais que je l'avais volée ? riposta-t-elle d'un ton coupant. Merci !

Matteo dut faire un véritable effort pour ne pas s'avancer vers elle et l'enlacer. Nues, ses lèvres étaient encore plus attirantes que couvertes de gloss. Et il savait déjà qu'elles étaient douces, moelleuses, délicieuses, qu'elles avaient un goût sucré…

— Je ne me doutais pas que tu jouais du piano, dit-il après s'être éclairci la voix.

— Nous savons déjà qu'il y a beaucoup de choses que tu ignores…

Elle fourra les feuilles de papier dans un immense sac avant d'en passer l'anse sur son épaule. Comme d'habitude elle était pieds nus et, cette fois, elle ne semblait pas s'être encombrée de chaussures.

Matteo se força à respirer régulièrement.

— Si tu me donnes le nom et le numéro de téléphone de l'auteur de cette chanson, je suis prêt à oublier que tu es entrée dans mon studio par effraction.

— Je ne suis pas entrée par effraction : la porte n'était pas fermée à clé.

Le nez en l'air, elle passa à côté de lui mais il l'arrêta en lui saisissant le bras.

— Izzy, *qui* a écrit cette chanson ?

Quand elle se tourna vers lui et le regarda droit dans les yeux, Matteo crut voir des larmes briller au fond des siens.

— Moi, répondit-elle en battant des cils.

Avant qu'il n'ait eu temps de réagir, elle dégagea son bras, ouvrit la porte et disparut.

Ce type était arrogant, adepte des jugements à l'emporte-pièce, irritant…

Bouillant de rage, Izzy traversa la pelouse au pas de charge. Heureusement qu'il faisait nuit !

Furieuse contre elle-même sans savoir pourquoi, Izzy continua au même rythme jusqu'à ce qu'elle ait atteint la porte située sur le côté du *palazzo*. Ensuite, elle monta les élégantes marches deux à deux et gagna sa chambre avant de claquer la porte derrière elle.

Celle-ci se rouvrit aussitôt sur Matteo qui entra sans même s'être donné la peine de frapper.

— Sors d'ici !

Il fit claquer la porte comme elle venait de le faire et s'avança dans la pièce. Le cœur battant à tout rompre, Izzy recula comme un animal traqué.

— Je ne te conseille pas d'approcher, parce que je suis tellement en colère que je pourrais te frapper !

Après s'être planté devant elle, il demanda :

— Tu as vraiment écrit cette chanson ?

— Si je te donne un coup de poing, j'irai en prison ?

— Je n'arrive pas à le croire…

— Parce que je suis une ratée et que je n'ai aucun talent ?

Se sentant vulnérable dans son pyjama, Izzy songea à attraper un gilet, mais elle se ravisa. Elle n'allait pas donner à Matteo la satisfaction de voir qu'il la déstabilisait. En outre, un gilet ne résoudrait sans doute pas le problème, car sa vulnérabilité était tout intérieure.

— Non. Parce que cette chanson est fantastique, dit-il d'une voix sourde. Et je n'ai jamais dit que tu étais une ratée.

Il trouvait sa chanson fantastique ? Soudain, Izzy eut du mal à respirer.

— Tu es devenue muette ? fit-il en haussant un sourcil.

Après avoir ouvert la bouche, Izzy la referma, incapable d'articuler un mot.

— Tu étais prête à tout pour attirer mon attention et pour que je t'entende chanter, reprit-il avec un sourire sardonique. Et maintenant que tu y as réussi, tu perds l'usage de la parole ?

— Tu trouves vraiment ma chanson fantastique ? demanda-t-elle d'une voix rauque.

— Oui.

A sa grande consternation, Izzy fondit en larmes.

Matteo leva alors les bras au ciel, l'air désemparé.

— Pourquoi pleures-tu ? C'était un compliment.

— C'est pour cela que je pleure, sanglota-t-elle.

Personne ne me fait jamais de compliments. Alors, je n'ai pas l'habitude. Excuse-moi. Je… Tu ne comprends pas… J'ai tant travaillé pour être prise au sérieux…

— Je commence à le comprendre.

— Après le désastre de *Singing Star*, dit-elle en s'essuyant les joues, je ne pensais pas avoir de seconde chance. J'ai très mal chanté durant cette émission stupide, je le sais. En plus, la chanson était nulle. J'aurais dû refuser de l'interpréter mais quand tu as attendu des années pour avoir ta chance, tu ne la rates pas. Chantelle m'a toujours répété de saisir les opportunités, alors c'est devenu une sorte de réflexe.

— Pourquoi appelles-tu ta mère Chantelle ?

— Parce qu'elle préfère.

Izzy sortit un mouchoir en papier de son sac.

— *Maman*, ça lui donne l'impression d'être vieille. Elle m'a répété de saisir les occasions, mais en participant à *Singing Star*, je me suis trompée et je continue à payer cette erreur. Je resterai marquée à vie par cette histoire lamentable.

— Non, tu ne le resteras plus longtemps. Dis-moi, la chanson que tu chantais tout à l'heure, tu l'as écrite à cause de ce qui s'est passé dans cette émission ?

— Non, répondit sincèrement Izzy. A cause de ce qui s'est passé avec toi.

— Avec moi ? fit-il d'un air stupéfait.

— Au palais Santina, tu m'as regardée une seconde, tu as vu ma robe pailletée et tu m'as entraînée loin de la scène, sans même te donner la peine de m'écouter.

— Parce que ce n'était ni l'endroit ni le moment.

— C'était une réception supposée fêter les fiançailles d'Allegra et de ton frère ! C'était le bon endroit et le bon moment, mais pas la bonne personne.

— Attends une minute : tu dis que tu as écrit cette chanson à cause de moi. *Quand* l'as-tu écrite ?

— Dans ta voiture, en venant ici.

Il fronça les sourcils.

— Tu n'as rien écrit.

— Je l'ai écrite dans ma tête. Je fredonnais et tu m'as demandé de me taire.

— Ce que tu fredonnais, c'était cette chanson ? Combien de temps t'a-t-il fallu pour la terminer ?

Personne ne lui avait encore jamais posé la question, ni n'avait jamais montré le moindre intérêt pour son travail.

— Je ne sais pas. Environ un quart d'heure, peut-être. C'est venu tout seul, comme d'habitude.

— Tu en as écrit d'autres ?

— Des millions. Enfin, peut-être pas, mais une bonne centaine.

— Tu as écrit une *centaine* de chansons ? répliqua-t-il en la dévisageant d'un air incrédule. Tu les as déjà interprétées devant quelqu'un ?

— J'essaie *toujours* de le faire. Mais, chaque fois, on me demande de me taire. Alors, je me contente de les enregistrer et de les stocker dans mon ordinateur.

— Et quand as-tu commencé à jouer du piano ?

Soudain, Izzy se sentit intimidée.

— A l'âge de trois ans. Une de mes petites copines avait un piano et un jour que j'étais chez elle, je me suis mise à jouer. Ça m'a tellement plu que j'ai refusé de bouger, jusqu'à ce que mes parents acceptent de m'en acheter un. Ils pensaient que cette lubie ne durerait pas plus d'une semaine, mais j'aimais de plus en plus jouer. Il fallait m'arracher du piano pour que j'aille à l'école. Quand j'ai grandi, je m'en suis servie pour composer et m'accompagner.

Izzy le regarda se diriger vers la fenêtre avant de scruter l'obscurité. Elle admira ses solides épaules, les imaginant nues.

Quand il se retourna tout à coup, elle rougit.

— Je te dois des excuses, dit-il.

C'était très doux à entendre, mais Izzy n'en montra rien.

— En effet. C'est le moins que tu puisses faire. D'abord, tu m'entraînes de force avant de me séquestrer ici, puis tu te conduis de façon plus que désagréable…

— Je ne pensais pas à cela, l'interrompit-il.

— Ah… Alors, de quoi t'excuses-tu, au juste ?

— De ne pas avoir reconnu ton talent plus tôt. Je ne comprends pas pourquoi je ne l'ai pas fait dès le soir des fiançailles, dit-il en plissant le front. Tu poussais ta voix…

— Bien sûr, je désespérais que tu m'entendes ! Mais si je te suis bien, tu admets m'avoir considérablement sous-estimée.

Il serra les mâchoires.

— Oui, c'est vrai. Je t'ai sous-estimée.

— *Considérablement ?*

— Je m'efforce de ne pas trop utiliser d'adverbes.

— En d'autres termes, tu as du mal à admettre que tu t'es trompé, répliqua-t-elle en savourant son embarras.

— As-tu déjà travaillé avec un producteur, dans un studio d'enregistrement ? répliqua-t-il, ignorant ses paroles.

— Seulement quand j'ai participé à *Singing Star*. D'habitude je le fais moi-même. Je me suis acheté quelques logiciels : un séquenceur et un enregistreur audio. Et, de temps en temps, je vais dans mon ancien lycée : ils ont un studio basique où je peux travailler.

Matteo s'approcha d'elle et lui prit la main avant de l'entraîner vers la porte.

— Nous avons du travail.

— Maintenant ? Il est 3 heures et…

Et elle était en pyjama, songea Izzy, mais Matteo la poussait déjà dans le couloir.

— Où allons-nous ? J'espère que nous n'allons croiser personne. Ce serait vraiment embarrassant…

— Tout le monde dort. Nous allons dans mon bureau : je veux te faire écouter quelques enregistrements.

Après avoir ouvert la porte, il alluma une lampe et se dirigea vers son ordinateur. De la musique retentit bientôt dans la pièce, puis une voix.

Matteo se laissa tomber sur une chaise et allongea ses longues jambes musclées devant lui.

C'était la première fois qu'Izzy le voyait dans une tenue aussi décontractée et, comme elle l'avait prévu, il était encore plus sexy dans cette chemise en coton blanc et ce jean noir.

— Personne ne m'a jamais demandé mon avis sur quoi que ce soit.

— Eh bien, il y a un début à tout !

Izzy écouta la mélodie avec attention.

— Tu veux vraiment mon avis ? C'est affreux.

— Pourquoi ?

— L'ensemble est tellement déprimant que ça donne envie de se suicider. Et je ne pense pas que ce soit l'effet que tu recherches.

— Non, en effet. Je veux de l'émotion.

— Misérabilisme et émotion, ce n'est pas la même chose.

Soudain, Izzy se demanda si son pyjama n'était pas transparent dans la lumière… Elle s'installa sur le divan et replia ses jambes sous elle.

— Si tu veux mon opinion, tu pourrais peut-être m'expliquer à quoi est destinée cette chanson ?

— Ce sera le single qui sortira en avant-première du concert.

Cette fois, il l'impliquait *vraiment* dans l'événement, comprit-elle en sentant son ventre se nouer d'excitation.

— Il te faut donc quelque chose qui donne aussitôt envie aux gens de le télécharger. Qu'as-tu d'autre ?

Alors qu'Izzy aurait dû se sentir épuisée, l'énergie bouillonnait en elle.

Lorsque Matteo lança un nouvel enregistrement, elle secoua aussitôt la tête.

— Non, le phrasé n'est pas bon. C'est trop… délayé. Ils ont essayé de susciter l'intérêt en évitant les répétitions mais le résultat n'est pas terrible. Il faut un air que les gens chantent sous la douche ou au volant de leur voiture, pas un truc qu'on oublie juste après l'avoir entendu. Passons au suivant.

Elle aurait pu rester là toute la nuit avec Matteo, à écouter de la musique et à échanger leurs avis.

— Ce serait pas mal pour accompagner une partie de jambes en l'air, dit-elle lorsqu'un rythme langoureux emplit la pièce. Mais je ne crois pas que ce soit le but recherché, dit-elle sans réfléchir.

Lorsque leurs regards se rencontrèrent, Izzy fut assaillie par une vague de désir si puissante qu'elle s'appuya au dossier du sofa en regrettant une fois de plus d'être en pyjama.

Sans dire un mot, Matteo passa l'enregistrement suivant, mais elle avait de plus en plus de mal à se concentrer.

— Alors ? demanda-t-il lorsque le silence retomba.

— Aucune ne convient.

— Je suis d'accord.

Il resta silencieux pendant quelques instants avant de la regarder en plissant les yeux.

— Je sais ce que je veux…

Izzy aussi. Elle oublia la musique. Elle oublia le concert. Elle oublia tout sauf Matteo.

— Oui.

— Je veux ta chanson.

A ces mots, elle redescendit sur terre.

— Ma chanson ?

— Oui.

— Tu veux l'enregistrer ? Je vais faire le single de l'année ?

— Non. Je veux la passer à une artiste connue pour qu'elle la chante.

Izzy sentit ses mains trembler.

— Je ne sais pas si je dois être folle de joie ou d'indignation.

Ou amèrement déçue que Matteo ne la désire pas. Il voulait sa chanson. Pas elle.

— C'est toi qui devrais la chanter, je suis d'accord, mais il me faut un nom, dit-il sans ménagement. Une artiste inconnue chantant une chanson inconnue, ça ne fonctionnerait pas, tu le sais aussi bien que moi.

— En d'autres termes, tu aimes ma chanson, mais tu me trouves trop minable pour la chanter.

— Tu n'es pas *minable*. Mais tu n'as pas non plus le profil dont nous avons besoin pour donner à ce single tout l'impact qu'il faut. Ne me dis pas que tu ne le comprends pas !

— Oui, approuva Izzy en sentant une douleur sourde lui

étreindre la poitrine. Je comprends. Mais c'est *ma* chanson. Je l'ai écrite pour moi — c'est *personnel*.

— Tu veux que ta chanson soit interprétée par une artiste célèbre et entendue par la moitié de l'univers, ou tu veux la garder pour toi et la chanter dans ton bain ?

— C'est un peu exagéré…

— Tu as dit que tu appréciais la franchise.

— Oui, en effet, mais je me trompais peut-être.

Izzy réfléchit rapidement. Sa carrière était au point mort. Elle devait faire quelque chose pour la relancer. Après tout, si ce n'était pas elle qui chantait sa chanson, ce n'était pas si grave. L'important, c'était que le monde entier la télécharge. En outre, elle avait un mal fou à penser à sa chanson et non à Matteo.

— C'est une chance unique pour toi, Izzy.

Il était si sûr de lui. En fait il n'était pas arrogant, seulement *sûr de lui*.

— A qui penses-tu, comme artiste ?

— Callie. Elle se dirige vers un son plus actuel et ce serait parfait pour elle.

Izzy fut forcée d'approuver.

— J'aime beaucoup sa voix. J'ai tous ses albums.

— Mais… ?

— J'ai du mal à imaginer qu'elle accepte d'interpréter une chanson écrite par moi.

— Elle acceptera. Non seulement elle cherche quelque chose d'un peu différent, mais sa source créatrice s'est tarie.

Les pensées se mirent à tourbillonner dans l'esprit d'Izzy, à une telle vitesse qu'elle ferma un instant les yeux.

— Tu es fatiguée, dit Matteo en se levant. Va dormir. Nous reparlerons de tout cela demain.

Izzy se leva à son tour et se dirigea le plus dignement possible vers la porte.

— D'accord. Callie pourra chanter ma chanson.

— Bonne décision, approuva Matteo.

Lorsqu'elle passa devant lui, elle ne put empêcher son bras de frôler le sien. Le contact fut très bref, mais il suffit à faire déferler une coulée de lave brûlante en elle.

— C'est fou, n'est-ce pas ? Est-ce que tu sais pourquoi nous ressentons ce que nous ressentons ? Parce que, sincèrement, si tu le sais, dis-le-moi, comme ça je pourrai m'en débarrasser.

Avec un juron étouffé, il lui prit le menton et leva son visage vers le sien. Durant un instant, il la regarda tandis qu'Izzy ne sentait que ses doigts chauds sur sa peau, n'entendait que son cœur battre violemment dans sa poitrine.

— Je n'en sais rien. La seule chose que je sais, c'est que tu me rends fou.

Ses yeux s'assombrirent, puis il pencha la tête vers elle. Aussitôt, Izzy sentit toute sa volonté, toutes ses résolutions, tous ses *objectifs* s'évanouir dans le néant.

— Nous ne devons pas… ce serait de la folie pure…, murmura-t-il d'une voix rauque.

Quand il recula et heurta le mur, il jura franchement, en italien.

— Tu ferais mieux de t'en aller, reprit-il en se frottant le coude.

— Oui, murmura Izzy.

Mais lorsqu'elle voulut s'avancer, ses jambes refusèrent de lui obéir.

— Juste pour savoir, c'est parce que je suis une starlette et toi un prince, c'est ça ?

Il plissa les paupières en serrant les mâchoires.

— Non. Parce que tu es jeune et que tu as une conception trop romanesque des relations entre hommes et femmes.

Qu'y a-t-il de mal à être romantique ?

— Rien du tout, à condition que cela soit partagé par l'homme concerné. Tu crois en l'amour et aux fins heureuses, Izzy. Autrement dit, aux contes de fées. Tandis que moi, c'est tout le contraire : je suis réaliste, blasé et cynique. Toute relation entre nous finirait forcément par un cœur brisé.

— Etant donné que tu n'as pas de cœur, j'en conclus que ce serait le mien.

— Oui. Et mon idéal de femme n'a pas de cœur à briser.

— Comme tu n'es absolument pas mon type, et qu'en

plus, l'un de mes objectifs est d'éviter toute implication sentimentale, je ne risque pas de tomber amoureuse de toi.

Un sourire démoniaque se dessina sur ses lèvres.

— Toutefois, je ne prendrai pas ce risque.

— Tu te crois à ce point irrésistible ? Quelle arrogance !

— Non, c'est de l'égoïsme. Mais si tu préfères appeler cela de l'arrogance, ça m'est égal. Tu as déjà été blessée une fois, je n'ai pas l'intention de te faire souffrir de nouveau.

Une humiliation atroce envahit Izzy.

— Tu es au courant de cette histoire ? demanda-t-elle, le visage en feu.

— J'ai vu les photos te montrant en train de pleurer sur les marches de l'église.

— Oh ! Formidable…

— Ta robe était affreuse.

Izzy éclata de rire.

— Oui, tu as raison. Mon Dieu, où avais-je la tête ? Du strass : c'était pire que les paillettes rouges ! Peut-être est-ce à cause de ma robe qu'il n'est pas venu.

Refoulant la souffrance qui déferlait en elle, Izzy adressa un faible sourire à Matteo.

— Non, en fait il n'est pas venu parce que mon disque a fait un flop et que je n'étais plus une partenaire intéressante pour lui. Il s'est servi de moi. Mais bon, c'est de l'histoire ancienne et je ne vais pas m'appesantir sur le sujet. Et toi ?

— Pourquoi penses-tu que je pourrais avoir vécu une expérience similaire ?

— Parce que, pour qu'un prince ne croie pas à l'amour, il faut que quelque chose ait mal tourné dans son conte de fées.

Fascinée par la petite surface de peau bronzée apparaissant dans l'encolure de sa chemise, Izzy serra le poing pour ne pas tendre la main et la caresser.

— Alors, que s'est-il passé, Monsieur ? Vous l'aimiez trop ? Pas assez ? Elle vous a brisé le cœur ? Vous avez brisé le sien ?

Le changement fut instantané : le visage de Matteo se transforma en un masque rigide.

— Il faut que tu ailles te coucher, dit-il d'une voix dure.

— Tu préfères les relations superficielles, c'est cela ?

— C'est ce que je pratique, avec succès.

Izzy n'en doutait pas un instant et, à cette simple pensée, elle avait les jambes molles.

— Et si je te disais que, moi aussi, je préfère les relations superficielles ?

— Je saurais que tu mens. *Buona notte*, Izzy. Va te coucher et fais de beaux rêves. Parce que l'amour, ce n'est que cela : des rêves. Et, demain matin, nous verrons ce que nous pouvons faire pour t'aider à réaliser ton autre rêve — qui me semble beaucoup plus facile à atteindre.

6.

Alors qu'elle connaissait Matteo depuis moins de trois jours, Izzy s'était réveillée en pensant à lui, au lieu de songer à son objectif quotidien. C'était mauvais signe.

Après avoir pris une douche, elle enfila une jupe turquoise et un haut à fines bretelles achetés spécialement pour les vacances, tout en se forçant à se concentrer : l'une des artistes américaines les plus célèbres allait interpréter sa chanson !

La moitié de son rêve se réalisait. Donc elle aurait dû sauter de joie, au lieu de continuer à penser à la bouche de Matteo sur la sienne.

Après avoir frappé, une femme de chambre ouvrit la porte.

— Son Altesse demande que vous alliez le rejoindre à l'héliport, *signorina.*

— A l'héliport ?

Izzy sentit son ventre se nouer. Maintenant qu'il avait sa chanson, il la renvoyait, songea-t-elle avec colère.

— Il me faut cinq minutes pour faire ma valise, dit-elle en redressant les épaules.

— Son Altesse a insisté pour que vous veniez immédiatement, *signorina*, répliqua la femme d'un air gêné.

Ainsi, il ne lui laissait même pas le temps de prendre ses affaires, et ne se donnait pas la peine de lui dire au revoir…

De plus en plus furieuse, Izzy suivit l'employée qui la conduisit vers la piste située un peu à l'écart des jardins.

Au moment où elle arrivait devant l'hélicoptère en refoulant ses larmes avec irritation, la voix profonde et sensuelle du prince retentit depuis l'intérieur de l'appareil :

— *Buon giorno.*

Sidérée, Izzy le vit apparaître et lui tendre un casque.

— Ça va me décoiffer, murmura-t-elle. C'est indispensable ?

— Comme c'est moi qui pilote, oui.

— Toi ? répliqua Izzy en enfonçant le casque sur sa tête. Je croyais que tu ne pilotais plus ?

— J'ai quitté l'armée de l'air, mais je pilote toujours.

— Je ne rentre pas chez moi !

— Bien sûr que non. Quelle idée !

Il se pencha vers elle et ajusta son casque.

— C'est confortable ? demanda-t-il.

— Non, mais ce n'est pas grave.

Du moment qu'elle ne rentrait pas en Angleterre, elle était prête à tout supporter.

— Installe-toi, nous sommes déjà en retard.

— Je ne sais même pas où nous allons. J'espère que tu sais ce que tu fais parce que je suis trop jeune pour mourir…

Matteo hocha la tête d'un air exaspéré puis boucla le harnais de sécurité d'Izzy avant de prendre les commandes, tout à fait à l'aise et sûr de lui. Quelques instants plus tard, elle entendit sa voix dans son casque.

— Nous allons visiter l'amphithéâtre romain de San Pietro d'Angelo. Je dois y retrouver quelques membres du comité pour discuter des derniers détails du concert, ainsi que des gars de l'équipe de production, lumière et son. Tu voulais participer à l'organisation du concert, non ?

Izzy agrippa son siège.

— Oui — si j'arrive entière.

— N'aie pas peur, tu vas adorer, dit-il en lui jetant un regard amusé.

Une vague d'appréhension envahit Izzy tandis que l'hélicoptère prenait de l'altitude mais, bientôt, sa peur se transforma en émerveillement.

— C'est fantastique ! J'ai l'impression d'être un oiseau !

Non seulement la sensation était grisante, mais la proximité de Matteo ajoutait à son excitation. Il y avait quelque chose de très sexy dans sa façon de piloter le puissant appareil.

— J'espère que l'amphithéâtre est loin, reprit-elle en contemplant les plages de sable blanc.

Elle aperçut des petits villages de pêcheurs, avec leurs maisons colorées allant du rose pâle au terre de Sienne, et les impressionnantes falaises dominant les eaux transparentes et turquoise de la Méditerranée.

— Regarde sur ta gauche, dit soudain Matteo.

Là, au-dessous d'elle, au sommet de la colline, des siècles d'histoire se dressaient avec majesté sous les rayons du soleil. Izzy retint son souffle : cette vue était *sublime.*

— Il a été construit par les Romains, à peu près à la même époque que l'amphithéâtre de Vérone. L'acoustique y est parfaite. L'été, il accueille un festival d'opéra et, une fois par an, nous y organisons le *Rock'n'Royal Concert.* On transforme tout, il devient méconnaissable. Demain, il y a un spectacle son et lumière, qui sert de test pour les techniciens.

L'hélicoptère avait maintenant atterri, mais Izzy resta sur son siège.

— A propos, dit Matteo en lui débouclant son harnais. Quel est ton *objectif du jour* ? Il vaut mieux que je le sache, pour me préparer.

— Te résister.

Ses yeux sombres étincelèrent.

— C'est ton objectif ?

— Oui, dit-elle d'une voix étranglée. Depuis que je t'ai rencontré, je n'ai pas réussi à atteindre mes objectifs quotidiens. Apparemment, l'attirance qui vibre entre nous affecte mon cerveau. Alors je dois d'abord te résister et, ensuite, ma vie reprendra son cours normal.

Izzy se tourna vers l'amphithéâtre.

— Izzy…

— Non, je ne veux plus en parler, l'interrompit-elle. Et si tu pouvais être barbant, ça m'aiderait beaucoup.

— Je ferai de mon mieux, dit-il d'une voix grave.

Un peu plus tard, alors qu'ils gravissaient l'étroit sentier conduisant à l'amphithéâtre, elle s'interdit de le regarder.

— Autrefois, il y avait une ville, ici, dit-il. Mais il n'en reste plus rien. L'amphithéâtre avait été construit pour les spectacles de combats de gladiateurs.

Tandis qu'il continuait à lui raconter l'histoire du lieu, Izzy fit de gros efforts pour le trouver ennuyeux mais, hélas, elle le trouva encore plus fascinant.

Bientôt, les touristes qui les entouraient le reconnurent. Mais, indifférent à l'excitation que suscitait sa royale présence, Matteo s'avança vers un groupe d'hommes qui attendaient à côté de l'entrée de l'amphithéâtre.

Il s'entretint brièvement avec l'un d'eux qu'il présenta comme le directeur technique, puis avec le technicien plateau avant d'entraîner Izzy sous une arcade de pierre.

Le vieux monument était spectaculaire en soi, avec ses gradins étagés entourant l'arène ovale. Izzy imagina les gladiateurs en train de se préparer au combat, frémissant de peur avant d'affronter la mort et la foule de spectateurs.

— Il sera fermé au public à partir de 18 heures, expliqua Matteo. La construction du décor et les répétitions lumière se sont déroulées dans un hangar, à l'aéroport de Santina. Le directeur de production et l'éclairagiste ne vont pas tarder.

— Je n'avais jamais songé à tout ce qu'il faut prévoir pour organiser un concert. Tu t'occupes de tout, et Alex, qu'est-ce qu'il fait ? Je sais qu'il est le prince hériter, mais qu'est-ce que cela implique, au juste ?

Matteo contempla l'arène en silence durant un moment.

— Cela veut dire qu'il devra faire face un jour à tous les problèmes. Il héritera à la fois du trône et des responsabilités.

— C'est très lourd, fit Izzy en laissant échapper un soupir. Pas étonnant qu'il savoure sa liberté. Mais je commence à comprendre pourquoi le roi et la reine se sont montrés aussi accueillants envers Allegra. Ils se réjouissent qu'Alex se marie, parce qu'il va se réinstaller au palais.

— Ils pensent également qu'un mariage royal sera apprécié par le peuple de Santina.

— Et toi, les gens t'aiment parce que tu passes ton temps à collecter de l'argent pour de bonnes causes. Tu fais beaucoup pour les autres. Moi, je ne fais rien du tout !

— Je n'ai pas à gagner ma vie, c'est différent.

Il se tourna vers elle et repoussa une mèche de cheveux tombée sur sa joue, faisant naître une sensation délicieuse en elle, alors qu'il l'avait à peine touchée.

— J'ai lu quelque chose concernant tes dons de diplomate. Cela consiste à dire ce qu'il faut quand il faut, n'est-ce pas ? Je crois que je ne serais pas douée pour ça…

— Tu as sans doute raison, dit-il avec un sourire moqueur. Tu es un incident diplomatique ambulant.

Izzy rougit en se rappelant son comportement lors de la réception, au palais.

— Je suis désolée d'avoir autant bu, d'avoir chanté, de m'être disputée avec toi, et d'avoir oublié de couper le micro.

— Pas moi.

Il était la virilité incarnée, avec ses cheveux noirs luisant au soleil méditerranéen. Soudain, Izzy sentit son souffle se bloquer dans ses poumons tandis que des visions interdites affluaient à son esprit.

— Ah bon ?

— Si tu n'avais pas fait tout cela, je n'aurais pas entendu ta voix ni cette chanson.

Sans cette note rauque dans sa voix et la tension visible de ses épaules, Izzy aurait pu croire que c'étaient les seules raisons.

Elle détourna vivement les yeux et regarda les gradins.

— On a le droit de grimper tout en haut ?

— Tu en as envie ? Il fait très chaud.

— Oui, c'est vrai. Mais à part danser, je ne fais pas d'exercice, et ça fait un temps fou que je ne suis pas allée dans un club.

En outre, elle était prête à tout pour s'éloigner de lui.

Après avoir gravi les premières marches en courant, Izzy se mit bientôt à haleter. Levant les yeux vers la dernière rangée de gradins, elle s'arrêta quelques instants.

— Tu avais raison. Il fait chaud.

Puis elle reprit son ascension.

— Tu es la personne la plus déterminée que j'aie jamais rencontrée, dit Matteo derrière elle.

— C'est l'un de mes plus grands défauts. Quand j'étais

toute petite, j'avais décidé de sortir de mon berceau et je n'ai pas renoncé avant d'y arriver — et de me casser le bras.

Elle se laissa tomber sur la dernière marche en s'efforçant de reprendre son souffle.

— Il va falloir que je fasse de la vraie gym. J'en ai eu souvent l'intention mais, chaque fois, j'ai eu un empêchement.

— Tu trouves que la détermination est un défaut ? demanda Matteo en s'asseyant à côté d'elle. Pour moi, c'est une qualité. La vie est dure : sans détermination, il est quasiment impossible de réaliser quoi que ce soit.

Alors qu'ils disposaient de toute la place, ils étaient assis l'un contre l'autre et la jambe de Matteo frôlait la sienne. Il regardait vers l'arène, où l'équipe travaillait, mais Izzy sentit qu'il n'était pas plus concentré qu'elle sur ce qui se passait au-dessous d'eux.

Il se tourna vers elle au moment où elle se tournait vers lui et Izzy sentit son corps trembler. Elle ne devait surtout pas oublier que Matteo était rétif à tout engagement émotionnel, au risque d'aller au-devant de sérieux ennuis.

— Parle-moi de ta relation avec Katarina, dit-elle.

— Comment es-tu au courant de l'existence de Katarina ?

La température sembla chuter de plusieurs degrés.

— J'ai lu quelque chose…

— Tu es bien placée pour savoir qu'il ne faut pas croire tout ce qu'on lit, coupa-t-il, les mâchoires serrées.

— Regarde, ils te font signe. Tu ferais mieux d'aller voir ce qu'ils veulent. Je reste ici.

Il s'en était fallu de peu ! songea Izzy en le regardant descendre les gradins d'un pas souple et gracieux.

Les heures suivantes se déroulèrent dans un tourbillon d'agitation, qu'elle observa de loin. Un jour, elle écrirait quelque chose de si fantastique qu'elle se produirait dans un endroit comme celui-là, se promit Izzy. Et, cette fois, les gens la prendraient au sérieux.

Elle resta longtemps assise sur son gradin, perdue dans

ses pensées lorsque, soudain, elle se rendit compte que Matteo était revenu et que le jour tombait.

Les touristes avaient disparu depuis longtemps et seuls restaient les techniciens travaillant dans l'arène.

Lorsque le genou de Matteo toucha le sien, Izzy frissonna.

— Tu as froid ? demanda-t-il d'une voix rauque.

— Non, dit-elle sans le regarder. Je m'imaginais en train de chanter dans un tel endroit, devant une foule de spectateurs.

Cette fois, il resta silencieux et, au bout de quelques instants, Izzy ne put retenir son geste. Profitant de la semi-obscurité qui enveloppait maintenant les gradins, elle tendit la main vers Matteo avant de sentir un frisson la parcourir. Elle voulut retirer sa main, mais de longs doigts chauds la retinrent.

Izzy vit la passion flamboyer dans les yeux de Matteo, puis il pencha la tête et ses lèvres effleurèrent les siennes tandis qu'elle laissait échapper un gémissement. Sans plus réfléchir, elle noua les bras autour de son cou, juste au moment où un rayon de lumière se posait sur eux, les éblouissant.

— *Madonna santa !* s'écria Matteo.

— C'est ta faute, dit-elle d'une voix rauque en le regardant bondir sur ses pieds.

Il se passa nerveusement la main dans les cheveux.

— Peut-être, mais…

— Ecoute, moi non plus, je ne veux pas qu'il se passe quoi que ce soit entre nous, l'interrompit Izzy en se levant. J'ai des projets, des objectifs. Et coucher avec toi n'en fait pas partie.

Quand il darda son regard incandescent sur elle, Izzy se sentit aussitôt consumée par le désir.

— J'ai le vertige, murmura-t-elle. Je descends.

Il lui prit les mains.

— Si tu as le vertige, il faut que je te tienne.

— A moins que ce soit toi, la cause de mon vertige.

Le cœur battant la chamade, Izzy dégagea ses mains.

— Je crois que j'en ai assez, de ces arènes antiques, poursuivit-elle.

Sans plus attendre, elle descendit, aussi vite que le permettait l'obscurité. Mais après être arrivée en bas sans encombre, elle trébucha sur les pavés inégaux.

Des mains puissantes la rattrapèrent au moment où elle tombait, avant de l'entraîner derrière un pilier.

— Je n'ai jamais désiré une femme autant que je te désire.

Son aveu fit à Izzy l'effet d'une décharge d'adrénaline.

— Je ressens la même chose.

— Je déteste sentir mon contrôle m'échapper, dit-il en glissant les mains dans ses cheveux.

Il lui appuya le dos contre le pilier avant de se pencher pour prendre sa bouche, presque violemment. Aussitôt, Izzy sentit tout son corps s'embraser. Cette fois, sa langue explorait sa bouche avec un érotisme inouï. Matteo prenait, possédait, faisant déferler des sensations incroyables en elle.

En quelques secondes, le désir la submergea.

Les mains de Matteo s'étaient maintenant refermées sur ses hanches. Il la serrait contre lui, son érection pulsant contre le ventre d'Izzy. D'instinct, ils tentaient tous les deux de souder leurs corps le plus étroitement possible.

A présent, il faisait frais, mais ils brûlaient tous deux.

Après avoir glissé les doigts sous son haut, Matteo caressa la pointe de son sein sous son pouce tandis qu'Izzy s'écartait pour mieux s'offrir aux tourments exquis qu'il lui infligeait.

— Quelqu'un pourrait nous voir, murmura-t-elle tandis qu'un rayon lumineux passait juste à côté d'eux.

— Je m'en moque : que toute cette fichue armée romaine nous regarde donc ! dit-il d'une voix rauque avant de reprendre sa bouche.

Ivre du plaisir qui ondoyait en elle, ivre de Matteo, Izzy glissa la main entre leurs deux corps et la referma sur son érection. Tout en poussant une plainte contre ses lèvres, il laissa ses doigts errer sous sa jupe avant d'atteindre le cœur de son intimité, moite de désir.

Avec une habileté redoutable, il la caressa et les sensations qui déferlèrent en Izzy furent si violentes, si folles que si sa bouche n'avait pas été prisonnière de celle de Matteo, elle aurait crié.

Aveuglée par le plaisir, elle oublia tout sauf la volupté que Matteo faisait naître en elle. Ils étaient tous les deux pris par la passion et lorsqu'il remonta sa jupe sur sa taille, puis rompit l'élastique de sa culotte, elle le laissa faire.

Matteo continua ses caresses ensorcelantes et le plaisir monta par vagues, l'emportant de plus en plus haut, de plus en plus fort. Tremblant de la tête aux pieds, Izzy se sentit près de défaillir. Elle aurait voulu arrêter Matteo, lui faire remarquer qu'ils pourraient poursuivre leurs ébats dans un lieu plus intime, mais en même temps elle ne voulait surtout pas qu'il s'arrête.

Lorsqu'il la souleva soudain dans ses bras, elle referma les jambes autour de sa taille. Son érection se trouva pressée contre sa chair, douce, chaude, ferme. Et quand un rayon lumineux balaya de nouveau l'espace, passant à quelques centimètres à peine, Matteo se contenta de bouger légèrement.

Il la portait sans difficulté et il allait la prendre, vite et fort, de la façon la plus brutale et la plus primitive qui soit. Le corps d'Izzy était prêt, elle désirait cette étreinte presque bestiale.

Mais, tout à coup, elle eut envie de tout arrêter. Elle voulut parler, mais la bouche de Matteo dévorait la sienne. Elle posa les mains sur ses épaules et lorsqu'elle réussit à écarter son visage, elle voulut de nouveau parler, mais aucun son ne franchit ses lèvres.

Immobile, le souffle court, il la regarda en silence.

— Non, dit-elle enfin d'une voix à peine audible. Non…

Une lueur farouche irradia des yeux de Matteo.

— Izzy…

— Préservatif.

Un fol espoir jaillit dans son esprit : il allait plonger la main dans sa poche et en ressortir le petit étui !

Mais il resta figé, puis il la reposa doucement sur le

sol et fit redescendre sa jupe sur ses hanches avant de s'écarter d'elle.

— Matteo…

— Je… Laisse-moi juste une minute.

Izzy dut faire un effort surhumain pour ne pas s'avancer vers Matteo et le prendre dans ses bras. A cet instant, il se retourna, les lèvres pincées.

— Nous devons partir, maintenant.

— Mais…

— Tout de suite.

— Très bien.

Le visage en feu, elle ramassa sa culotte et la fourra dans la poche de sa jupe avant de suivre Matteo. Quelques instants plus tard, ils montaient à bord de l'hélicoptère en silence.

Ils n'échangèrent pas un mot durant le vol. Lorsqu'ils atterrirent, Matteo sauta à terre, attendit qu'elle soit descendue à son tour et se soit éloignée des hélices avant de se diriger à grands pas vers son bureau, après lui avoir adressé un bref salut.

Soudain, Izzy sentit la colère rugir en elle, aussi forte que la passion qui l'avait saisie un peu plus tôt, et elle s'élança à sa poursuite.

Elle le vit entrer dans son bureau et aller prendre une bouteille de whisky.

Immobile sur le seuil, elle le regardait, refusant d'analyser le mélange d'émotions qui tourbillonnaient dans son esprit, et dans son corps.

— Je te donne déjà envie de boire ? C'est rapide. D'habitude, il faut plus de deux jours.

Soudain, elle se sentit affreusement vulnérable.

— Ecoute, je suis désolée, mais…

— Pourquoi ? Tu as fait ce qu'il fallait, dit-il d'une voix sourde.

Il versa le liquide ambré dans un verre et l'avala cul sec.

Izzy se força à respirer lentement. Pourquoi avait-elle l'impression qu'on lui arrachait le cœur ? Gagnée par une vague de nausée, elle vit Matteo se verser un deuxième verre de whisky.

— Tu auras une gueule de bois épouvantable, demain.

— Cela me regarde.

— C'est tout ce que tu trouves à dire ?

— Il n'y a rien d'autre à dire. J'ai perdu le contrôle. Point final.

Une sensation horrible se déploya dans la poitrine d'Izzy. A quoi s'était-elle attendue ? A ce qu'il reprenne les choses là où ils les avaient laissées ?

Le désir s'était envolé et ils étaient tous deux redescendus sur terre.

— Bon, je vais te laisser te punir toi-même, alors.

Il ne dit pas un mot pour adoucir la situation. Quand elle se dirigea vers la porte, il ne réagit pas non plus. Après avoir tourné la poignée, Izzy s'immobilisa et attendit un instant. Mais il ne bougea toujours pas.

Cette fois, elle sortit de la pièce sans se retourner.

7.

Furieuse contre elle-même, Izzy fourra ses vêtements dans sa valise, bien décidée à quitter ce fichu *palazzo* et son propriétaire. Et, désormais, aucun homme ne viendrait plus jamais la perturber et l'empêcher de se concentrer sur ses objectifs.

Elle se focalisa sur les détails pratiques : réserver un vol, trouver le moyen de se rendre à l'aéroport, éviter la presse… Puis, sa valise bouclée, elle partit à la recherche de Matteo.

Serena l'informa qu'il s'entraînait dans la salle de sport et qu'il valait mieux ne pas le déranger. Mais vu l'état de leurs relations, elle n'avait plus rien à perdre, songea Izzy en se dirigeant dans la direction indiquée par Serena.

Stupéfaite, elle découvrit Matteo sur un ring, le torse nu et luisant de sueur, en train de frapper un adversaire.

Elle s'attendait si peu à ce spectacle qu'elle resta figée sur place. Sans rien savoir de la boxe, elle comprit vite que Matteo avait le dessus. Son torse était très musclé, mais pas du tout à la façon d'un bodybuilder. Au contraire, il était tout en finesse. En outre, Matteo se mouvait avec une légèreté et une rapidité époustouflantes.

Comme un robot, il lançait coup de poing sur coup de poing. Ou bien il possédait des réserves extraordinaires d'énergie, ou il n'avait pas passé de nuit blanche comme elle.

Izzy dut faire du bruit car Matteo tourna soudain la tête dans sa direction et l'aperçut.

— Izzy ? fit-il avant de soulever les cordes entourant

le ring pour en descendre. Depuis combien de temps es-tu ici ? J'avais demandé qu'on ne me dérange pas.

Il prit une serviette posée sur un banc et se la passa autour du cou.

— Je voulais te dire au revoir.

— Tu pars ? fit-il en tendant la main vers une bouteille d'eau. Où vas-tu ?

— Je rentre chez moi. Ma présence ici n'est bonne ni pour toi ni pour moi.

Le prince se tourna vers son adversaire resté à distance respectueuse et lui adressa quelques mots en italien. Aussitôt, l'homme sortit par une porte située au fond de la salle.

— Tu t'entraînes souvent ? demanda Izzy en fixant un point sur sa mâchoire.

— Tous les jours.

— Pourquoi ?

— Pour rester en forme. Izzy, tu ne rentres pas chez toi.

— Si, je rentre. Et si tu avais un peu de respect pour moi, tu prendrais mes sentiments en considération, pas seulement…

— Je les prends tout à fait en compte, crois-moi.

Tendue et épuisée par sa nuit sans sommeil, Izzy explosa.

— Non, ce n'est pas vrai ! Si c'était le cas, tu m'aurais au moins souhaité bonne nuit, hier soir !

Un étonnement sincère emplit les yeux de Matteo mais elle poursuivit dans son élan :

— Je ne m'attendais pas à grand-chose de ta part, mais tu aurais pu me dire quelques mots gentils. C'est déjà assez difficile de garder son estime de soi sur cette terre où tout le monde cherche à vous rabaisser. Alors je m'en vais avant de tomber malade d'anxiété et pendant que j'ai encore assez confiance en moi pour voyager seule.

Izzy voulut passer devant lui mais il lui bloqua le passage.

— Hier soir, je ne pensais pas à moi.

— Si ! Tu mens ! Tu éprouves des remords parce que tu as perdu le contrôle de toi-même, pas parce que tu te préoccupes de moi. Tu es furieux contre toi parce que tu as renoncé à ces principes rigides dont tu es si fier. Et pour être franche, tout cela me perturbe. On dirait que tu possèdes deux personnalités radicalement opposées. Qu'y a-t-il de mal à se laisser aller de temps en temps ?

— Je ne suis pas schizophrène.

Sans le regarder, elle essaya de le repousser mais il ne bougea pas d'un centimètre.

— Je t'ai vraiment incommodée, reprit-il d'une voix grave.

Izzy se troubla aussitôt.

— Oui, tu m'as *vraiment* incommodée, alors maintenant, recule avant que je ne te fasse mal. Et ne crois pas que tes muscles m'effraient !

Il y eut un silence, puis elle sentit les mains de Matteo se poser sur ses bras.

— Tu as pourtant senti leur puissance, hier soir…

Izzy sentit son cœur battre à un rythme alarmant.

— Hier soir, tu as eu l'occasion de parler et tu l'as manquée. Maintenant, il est trop tard. Alors oublions ce qui s'est passé.

— J'espère que tu y arriveras mieux que moi, dit-il avec douceur. Mais tu ne partiras pas, Izzy.

— Tu m'as retenue ici parce que tu craignais que la presse ne s'intéresse plus à moi qu'à ma sœur, mais tout va bien, désormais. Le pays entier se réjouit de leurs fiançailles. Alors moi, je rentre chez moi !

Tout à coup, elle leva lentement les yeux et remarqua la cicatrice, sous ses côtes.

— Que… Que t'est-il arrivé ? balbutia-t-elle.

— Rien.

— Tu vois ? Tu recommences. Tu connais ma vie dans ses détails les plus sordides, mais si moi je t'interroge sur ta cicatrice, tu réponds que ce n'est *rien*.

Elle se força à respirer calmement, puis reprit.

— Je pars, parce que je n'arrive à rien faire ici et que tout devient trop compliqué. Bonne chance pour le concert.

Cette fois, il ne l'empêcha pas de passer mais, au bout de trois pas à peine, il lui lança d'une voix dure :

— Tu veux savoir d'où viennent mes cicatrices ? Parce

que j'en ai d'autres dans le dos. Je les ai récoltées la seule et unique fois où j'ai fait confiance à une femme. J'avais dix-huit ans et elle en avait trente. Elle était sophistiquée, intelligente — du moins, je le croyais. L'attirance a été immédiate. J'étais jeune et gonflé à bloc. Et je ne m'interrogeais pas sur la signification de mon titre. Mon frère était l'héritier, je n'avais donc aucun rôle à jouer, je pouvais m'amuser. Je croyais que je pouvais jouir de tout à ma guise, sans limites.

— Et tu voulais cette femme, murmura Izzy.

— Je l'ai poursuivie de mes assiduités mais elle ne s'est pas laissé prendre facilement. J'ai compris son petit jeu des mois après.

Le soleil fit briller ses cheveux noirs.

— D'abord, je n'ai rien soupçonné. Carly refusait d'être vue avec moi en public. Elle était presque trop discrète. Je la croyais parfaite, mais elle cachait bien son jeu.

Il resta silencieux si longtemps qu'Izzy se demanda s'il poursuivrait son récit.

— J'allais partir pour l'université de Cambridge quand le paquet est arrivé.

— Qu'y avait-il dedans ?

— Un film nous montrant en train de faire l'amour, réalisé par elle. Des photos. Et le chantage : je payais ou alors…

Izzy s'y attendait presque depuis le début.

— Qu'as-tu fait ?

— Le pire, comme presque tous les gens se retrouvant dans ce genre de situation. J'ai essayé de tout régler moi-même. J'étais jeune et très en colère. Je lui ai fixé un rendez-vous pour parler de notre relation : je voulais *comprendre*.

Le cœur d'Izzy se serra douloureusement. N'avait-elle pas ressenti la même chose lorsque Brian l'avait laissée tomber ?

— J'étais fou de rage, je me sentais humilié, horrifié de m'être mis, ainsi que ma famille, dans cette situation.

Il se passa la main sur le visage.

— Je suis arrivé au pavillon d'été où nous nous rencontrions en secret. J'avais emmené mon agent de sécurité avec moi : il devait m'attendre à proximité.

Après s'être interrompu un bref instant, il reprit :

— J'ai dit à Carly qu'elle me dégoûtait et que je ne lui donnerais pas un centime. Et c'est à ce moment-là que son frère est entré en scène — mon agent de sécurité. L'homme chargé d'assurer ma protection…

Izzy le regarda en écarquillant les yeux.

— Elle était sa sœur ?

— Ils avaient tout comploté. Ils s'attendaient à ce que je paie. J'ai refusé. Apparemment, c'était une nouvelle erreur de ma part, mais je lui ai donné plus de mal qu'il ne le pensait.

— Qui t'a sauvé ?

— Ils sont partis en me laissant inconscient mais, par chance, le chef de la sécurité du palais avait reçu des informations selon lesquelles des intrus se servaient du pavillon d'été. Et il avait décidé d'y aller faire un tour justement cet après-midi-là. Il est arrivé au moment où ils prenaient la fuite. Ils ont été arrêtés et j'ai été transporté à l'hôpital.

— Tu étais blessé ?

— Quatre côtes cassées, le foie touché, deux doigts de la main gauche brisés. Les cicatrices du dos, c'est parce qu'il m'a traîné sur les graviers.

— C'est pour cela que tu fais de la boxe ? Et que tu n'as pas de gardes du corps ?

Izzy sentit une rage inouïe l'envahir.

— J'espère qu'elle est toute ridée et qu'elle a une vie horrible.

— D'une certaine manière, elle m'a rendu service, dit-il d'un ton neutre. Grâce à elle, j'ai appris à ne me fier à personne. J'ai compris que les femmes étaient attirées par mon titre et ma fortune, pas par moi. Peut-être pas toutes, mais j'ai réalisé qu'il était impossible de faire la différence.

A présent, Izzy comprenait son attitude envers elle.

— Dès le début, tu as pensé que j'étais dangereuse. Tu as pensé que je nuirais à ta réputation ou que j'essaierais de te soutirer de l'argent.

— Oui.

Elle se mordilla la lèvre. Sa franchise lui faisait du bien, même si c'était douloureux en même temps.

— Tu l'aimais, n'est-ce pas ?

— J'ai cru l'aimer.

— Pourquoi ne trouve-t-on rien sur internet à ce sujet ?

— Mon père savait gérer les situations délicates. Seules quelques personnes connaissent la vérité. On a dit à la presse que j'étais tombé de moto.

— Et le film ?

— Il a été détruit. Carly avait tellement paniqué devant le manque de contrôle de son frère qu'elle l'a rendu, en échange d'une réduction de peine.

Après avoir hésité un instant, Izzy plongea ses yeux dans les siens.

— Je suis contente que tu me l'aies dit. Mais je regrette que tu ne l'aies pas fait plus tôt.

— C'est déjà extraordinaire que je me sois confié ainsi.

Visiblement, il était lui-même surpris de son aveu.

— Ne t'inquiète pas. Je déteste les commérages. Tu as dû rester longtemps à l'hôpital ?

— Je m'ennuyais à mourir. J'étais amer, furieux. Je suis resté dans cet état jusqu'à ce qu'une infirmière très patiente en ait assez de m'entendre râler. Elle m'a installé dans un fauteuil roulant et m'a emmené dans le service de pédiatrie. Ils étaient débordés et cherchaient quelqu'un pour faire la lecture à une petite fille qui ne recevait jamais de visites.

Il sourit.

— C'est comme ça que tout a commencé, reprit-il d'une voix douce.

— Pardon ?

— La Fondation du Prince. Cette infirmière m'a aidé en me montrant à quel point j'étais chanceux. Je méritais une bonne leçon et elle m'a ouvert les yeux. J'ai découvert alors un monde inconnu, peuplé d'enfants souriant en dépit de leurs souffrances, de parents affrontant des situations matérielles très difficiles et se sacrifiant pour offrir les meilleurs traitements à leurs enfants. Ce n'est pas l'épisode avec Carly qui a changé ma vie, mais le temps que j'ai passé à l'hôpital. Avant cela, je ne savais pas quoi faire de moi. J'étais l'héritier de rechange. La doublure. Et, tout à coup, j'ai compris comment utiliser ma position. Quand je suis sorti de l'hôpital, j'avais trouvé ma voie.

— Et tu l'as suivie depuis, dit Izzy d'une voix brisée par l'émotion.

— J'ai compris que mon nom et ma présence pouvaient rapporter beaucoup d'argent. Et cet argent a alimenté les caisses de la fondation.

— Comme je sais ce que cela fait d'avoir été utilisé par quelqu'un, je compatis, dit-elle en dessinant des cercles du bout de l'orteil.

— Tu as envie de parler de Brian ?

— Non, s'il te plaît…

— Je suis surpris que tu ne lui aies pas lancé un direct pour t'avoir plaquée le jour de votre mariage.

— Je ne voulais pas lui montrer que j'étais affectée. J'ai dansé jusqu'à 4 heures du matin et j'ai fini par embrasser un parfait inconnu dans l'espoir que la photo s'étalerait dans tous les journaux et que Brian la verrait. Evidemment, cette fois-ci, les paparazzi manquaient à l'appel !

Elle haussa les épaules d'un air dégagé.

— Alors j'ai embrassé ce type pour rien. Que s'est-il passé après Carly ? Côté sentimental, je veux dire.

— Je ne suis pas doué pour les sentiments.

— J'ai lu ça, en effet. Et quand tu as appris que ton frère allait épouser une Jackson, tu t'es dit : *et voilà, tout va recommencer ! Ces gens vont nous causer les pires ennuis.*

Il eut l'air si mal à l'aise qu'Izzy se força à sourire.

— Ne t'en fais pas. Je préfère que tu sois franc et je comprends ta réaction. Nous jugeons tous plus ou moins les gens d'après leur apparence. Je te prenais bien pour un prince arrogant et imbu de lui-même.

— *Le moi que tu ne vois pas*, dit-il, citant le titre de sa chanson.

— Exactement.

— Je m'en veux de m'être montré aussi odieux avec

toi, répliqua-t-il sans sourire. Tu aurais dû être anéantie par mon attitude, mais tu possèdes une force et une détermination inouïes.

Il lui posa les mains sur les épaules et l'attira vers lui.

— En outre, tu gardes les pieds sur terre. C'est grâce à toi que nous n'avons pas commis d'imprudence hier soir. Je t'en suis très reconnaissant.

Le cœur d'Izzy se mit à battre à tout rompre.

— J'aime que tu aies perdu tout contrôle. Je prends cela comme un compliment.

Aussitôt, il laissa retomber ses bras et recula d'un pas. Le silence s'installa entre eux, lourd et tendu.

— Il faut que j'aille prendre une douche, dit enfin Matteo. Viens me retrouver au studio dans vingt minutes en apportant tes carnets. Et commence à chauffer ta voix.

— Pourquoi ?

— Nous allons nous occuper de tes fameux *objectifs*. Il est temps d'enregistrer tes chansons.

En proie à un troublant conflit intérieur, Matteo regarda Izzy, installée dans la cabine insonorisée. Le souvenir de son inexplicable geste de la veille le taraudait, ainsi que les aveux qu'il venait de faire. Dès qu'il avait commencé à parler, il avait eu envie de retirer ses paroles, mais il était trop tard. Il avait confié son secret le plus sombre à une femme qu'il connaissait à peine…

Il était expert dans l'art de garder les femmes à distance. Il était fier du mur qu'il avait dressé autour de lui. Et pourtant, Izzy, avec son mélange redoutable de charme naturel et de ténacité, avait réussi à trouver la faille.

Même Phil, son producteur qui avait vu défiler des centaines d'artistes et se montrait toujours avare de compliments, était impressionné par la jeune femme.

Ils travaillèrent neuf heures d'affilée, durant lesquelles Matteo attendit, en profitant pour réfléchir. De son côté, Izzy bouillonnait d'énergie.

— C'était génial. Merci, dit-elle en dansant presque sur place.

Elle fit claquer un gros baiser sur la joue de Phil.

— Tu es super, je t'adore !

Gêné, Matteo entraîna Izzy dehors d'une main ferme.

— Pourquoi cette hâte ? fit-elle en le regardant d'un air surpris.

— Tu ne meurs pas de faim ?

Non, il n'était pas jaloux, se répéta-t-il. Une telle attitude aurait été irrationnelle, or il n'était *jamais* irrationnel.

— Nous avons manqué le déjeuner, poursuivit-il. J'ai fait préparer un repas.

— Tu veux dire que tu as lancé un ordre et que cinquante personnes se sont précipitées pour entrer en action ?

Mais quand elle vit le tapis étalé sur l'herbe à côté de la fontaine, elle s'arrêta net. Le personnel avait fait des prodiges, reconnut Matteo en contemplant la bouteille de champagne dans le seau en argent et les plats disposés avec art. Ils avaient réussi à recréer l'atmosphère des dîners servis autrefois dans les jardins du *palazzo*.

Izzy se tourna vers lui avant de lui sauter au cou.

— Oh ! merci ! C'est merveilleux !

Après s'être raidi d'instinct, Matteo s'éclaircit la gorge.

— Ce n'est qu'un pique-nique.

— Mais c'est… tellement romantique !

Romantique ? Il s'était contenté de demander au personnel de servir le dîner à l'extérieur.

Matteo fit sauter le bouchon de la bouteille de champagne.

— Vu les effets qu'il a eus sur toi le soir des fiançailles, je ne sais pas si c'est une bonne idée de t'offrir du champagne…

Après lui avoir lancé un regard perplexe, elle sourit.

— Mais, cette fois, il y a à manger, dit-elle en s'agenouillant sur le tapis. Ton personnel a dû être surpris, non ?

— Depuis qu'ils m'ont vu te porter dans mes bras le premier soir, ils ont malheureusement pris l'habitude de me voir me comporter de façon étrange.

Et s'ils pouvaient lire dans ses pensées, ils ressentiraient un drôle de choc.

— Ce n'est pas étrange, c'est normal, dit-elle en prenant une fourchette avant de se choisir un morceau de poulet. Tu devrais te détendre plus souvent.

Matteo jugea préférable de changer de sujet.

— Pourquoi ta famille ne t'a-t-elle pas encouragée dans ton désir de chanter ?

— Parce qu'aucun d'eux ne s'intéresse à la musique. Chantelle est convaincue qu'il faut laisser les gens se fourvoyer. Quant à papa, il nous adore tous mais il est très égoïste et passe la plupart de son temps à…

Elle piqua sa fourchette dans la viande.

— … à coucher avec son ex-femme. Mais ça ne t'intéresse pas. Je peux manger avec mes doigts, ou c'est mal élevé ?

— Fais comme tu veux. Il couche encore avec son ex-femme ? Comment ta mère prend-elle la chose ?

— Du moment qu'elle garde son statut d'épouse, elle s'en moque !

Izzy reposa son assiette.

— Et je déteste leur attitude : ce n'est pas de l'amour, mais un vulgaire arrangement. Je ne veux jamais vivre ça. Je l'ai échappé belle avec Brian. Depuis, je fuis tout engagement !

Soulagé par cette déclaration, Matteo bondit sur ses pieds.

— Bonne décision. Et l'activité physique est excellente pour se préserver des émotions. Tu portes ton Bikini ?

— Oui, mais nous sommes très loin de la piscine.

— Qui a parlé de piscine ?

S'il ne l'attirait pas dans l'eau froide rapidement, ils allaient au-devant de sérieux ennuis. Matteo lui tendit les mains avant de l'aider à se relever, puis saisit l'ourlet de sa robe et la fit passer par-dessus sa tête. Dessous, elle portait un minuscule Bikini violet qui révélait plus qu'il ne dissimulait.

— Quand as-tu fait faire ce tatouage ?

Une lueur rebelle incendia ses yeux.

— Le jour où Chantelle a dit : « Fais ce que tu veux,

mais ne te fais jamais tatouer. » Franchement, ce n'était pas de la provocation à l'état pur ?

Matteo se dévêtit à la hâte et la souleva dans ses bras.

— Je ne te conseille pas de me faire tomber dans l'eau ! s'écria Izzy. Je te préviens, je…

Sa voix se perdit dans les bulles tandis que Matteo lui plongeait la tête sous l'eau. Lorsque Izzy refit surface, elle l'éclaboussa copieusement.

Il l'attrapa sans difficulté et la renversa de nouveau dans l'eau et, cette fois, l'accompagna.

Haletant et riant, elle frappa l'eau, soulevant une gerbe dont les gouttes étincelèrent au soleil.

— Je n'en reviens pas ! Tu te baignes dans ta fontaine ! Tout espoir n'est pas perdu, Monsieur !

— Cesse de m'appeler *Monsieur*.

— C'est toi qui m'as demandé de t'appeler ainsi.

— La première fois, oui…

Il glissa la main sur sa nuque et attira son visage vers le sien, tout en se rappelant qu'il s'agissait d'une intimité purement *physique*.

— … mais nous n'en sommes plus là, acheva-t-il d'une voix rauque.

Puis il l'embrassa.

Sans cesser de dévorer sa bouche, il la souleva dans ses bras et enjamba le rebord de la fontaine, avant de ramasser d'une main leurs vêtements. Ensuite, il se dirigea vers le labyrinthe.

Ce type d'intimité, il pouvait l'assumer. Sans *aucun* problème.

8.

Dans le labyrinthe, les hautes haies se succédaient selon un dessin mystérieux et la lumière trouait par endroit la végétation, rendant le lieu plus enchanteur encore.

— Pourquoi ici ? chuchota Izzy.

— Parce que c'est plus près que le *palazzo*. Je te désire tant que je ne pourrais pas attendre d'y arriver.

— Eh bien, ne me perds pas en route, murmura-t-elle en enfouissant son visage dans le cou de Matteo. Je n'ai aucun sens de l'orientation. Mon corps ne serait découvert que dans au moins dix ans.

— Il va l'être bien plus rapidement que cela…

Il bifurqua sur la gauche et laissa bientôt tomber les vêtements dans une petite clairière. Ensuite, il déposa Izzy sur ses pieds avant d'étaler sa chemise sur l'herbe. Après l'avoir allongée dessus, il prit sa bouche avec passion.

Izzy n'essaya même pas de résister à l'assaut brûlant. Les sensations éprouvées la veille rejaillirent, intactes, comme si elles avaient patiemment attendu cet instant.

— Je n'ai jamais rencontré de femme qui me fasse autant d'effet, murmura-t-il contre ses lèvres. Tu me fais perdre la tête.

— Toi aussi.

Une plainte échappa à Izzy tandis qu'il laissait glisser ses lèvres sur son cou.

— Ne t'arrête surtout pas…

Soudain, le souvenir de la raison pour laquelle ils s'étaient arrêtés la veille lui revint à l'esprit.

— Tu as des… ?

— Oui. Je ne commets jamais la même erreur deux fois, dit-il en promenant sa main sur sa cuisse.

— Il faut que je te dise quelque chose, Matteo. Je ne suis pas comme Carly. Je n'avais rien prémédité de tout…

Il la fit taire d'un baiser.

— Tu crois que je serais ici avec toi si je pensais que tu étais comme elle ? dit-il en se redressant légèrement.

Sa tête faisait écran devant le soleil et quand Izzy plongea son regard dans le sien, elle y découvrit une lueur qu'elle n'y avait encore jamais vue.

Les doigts tremblants, il dégrafa le haut de son maillot de bain.

— Je n'avais rien prémédité non plus, poursuivit-il d'une voix rauque. J'avais seulement l'intention de t'éloigner de la scène et de te faire tenir tranquille. Mais tu m'as compliqué la tâche dès l'instant où je t'ai fait monter dans ma voiture.

Il pencha la tête et sa bouche effleura son sein, faisant jaillir une flamme dans le corps d'Izzy.

Puis la bouche de Matteo revint à la sienne, prenant, donnant, sa langue s'enroulant à la sienne en un ballet torride. Ses mains chaudes et fermes couraient sur son corps et, soudain, le monde cessa d'exister pour Izzy. La chaleur du soleil avait disparu, ainsi que tout ce qui les entourait. Son univers se réduisait à l'homme qui faisait naître des sensations fabuleuses en elle.

Il quitta ses lèvres et déposa des petits baisers sur son cou, sa gorge, exacerbant son plaisir. A présent, elle était complètement nue et, quand Matteo lui écarta les cuisses d'une main sûre avant de la soumettre à une caresse d'une audace insensée, Izzy s'embrasa tout entière.

— Matteo…

Pour toute réponse, il s'étendit sur elle et lorsqu'il reprit sa bouche, le baiser qu'ils échangèrent anéantit Izzy qui, pantelante, le vit prendre quelque chose dans la poche de son pantalon.

L'espace d'un instant, elle sentit la fermeté de son érection pressée contre l'orée de son intimité, puis il s'immisça en elle et instaura aussitôt un rythme soutenu. A chaque coup de reins, il la pénétrait plus loin, plus profondément, leurs deux corps ne faisant plus qu'un. C'était si bon qu'Izzy cria son prénom en creusant les reins pour mieux accueillir ses poussées.

Soudain, elle sentit son corps s'ouvrir à lui, avant de sombrer dans la jouissance, s'abandonnant aux spasmes qui montaient du plus profond de son être…

Peu à peu, elle revint sur terre. Elle perçut les notes d'un chant d'oiseau, sentit la dureté du sol et le poids du corps puissant couvrant le sien. Puis elle entendit les battements de son propre cœur.

— Matteo…

Aussitôt, la main qui lui caressa les cheveux s'arrêta. Et lorsque Matteo redressa la tête et la regarda, ses yeux étaient voilés.

— Je crois que nous devrions nous rhabiller, dit-il d'un ton neutre. Cet endroit est certes abrité, mais pas tout à fait intime.

La déception qui envahit Izzy était absurde. Un homme comme lui n'allait certes pas céder à l'émotion après une étreinte torride…

Mais au moins il avait été franc, se rappela-t-elle en attrapant son Bikini. Il ne lui avait fait aucune promesse et elle non plus. Sentant son regard dirigé vers elle, Izzy enfila son maillot d'un air faussement dégagé.

De son côté, il avait déjà fini de se rhabiller.

— Allons-nous-en.

Et voilà, leur brève aventure était terminée ! Et ils n'en reparleraient jamais ni l'un ni l'autre.

Izzy remit de l'ordre dans ses cheveux.

— Tu préfères sans doute que nous rentrions séparément ?

— Pourquoi ? répliqua-t-il en fronçant les sourcils.

— Pour ne pas choquer ton personnel.

— Ils savent se montrer discrets. D'autre part, il serait absurde de rentrer séparément puisque nous allons au même endroit : dans ma chambre.

— Pardon ?

— Tu comptais passer la nuit dans le labyrinthe ?

— Non ! Je…

— Ramasse tes sandales, dit-il d'une voix rauque avant de l'enlacer et de pencher son visage vers le sien. A moins que tu ne veuilles les mettre à tes pieds, pour une fois ?

Deux semaines plus tard, Izzy était étendue sur le ventre dans le bureau de Matteo, à même le tapis, des feuilles de papier éparpillées autour d'elle. Il était plus de minuit et elle travaillait depuis le déjeuner, ses espadrilles abandonnées à côté d'elle, ainsi que trois tasses à café vides et les reliefs d'un déjeuner pris à la hâte.

— Cette chanson me plaît beaucoup.

Matteo leva les yeux de l'écran de son ordinateur.

— Tu devrais faire une pause. Tu as travaillé dessus toute la journée.

Izzy se redressa et s'assit en tailleur avant de s'étirer.

— Toi non plus, tu ne t'es pas arrêté depuis le déjeuner.

— Le succès du concert dépend de moi.

Elle le regarda, le cœur battant. Il était si sexy. *Trop.* Chaque fois qu'il se levait de son fauteuil, elle ne pouvait s'empêcher de le suivre des yeux. Ils avaient passé deux semaines ensemble, enregistrant de la musique, réglant les derniers détails pour le concert. Et quand ils ne travaillaient pas, ils faisaient l'amour. Souvent et n'importe où. Dans la chambre de Matteo, dans le labyrinthe ou sur la petite plage privée nichée au bas des falaises. Et même si elle savait que pour lui leur relation était purement physique, pour Izzy, c'était devenu bien plus que cela. Toutefois, elle faisait très attention à ne rien montrer des émotions qui se bousculaient en elle.

— J'ai écouté ta démo, tout à l'heure, dit-il en s'appuyant à son dossier. C'est génial. Tu vas faire des ravages, *tesoro.*

— Je n'en reviens pas, répliqua-t-elle en achevant de noter quelques accords. Tu ne peux pas imaginer ce que ces semaines ont représenté pour moi. Personne ne m'avait jamais demandé mon avis sur quoi que ce soit.

Leurs regards se croisèrent et elle rougit.

— Nous allons fêter cela ! dit-il en quittant son fauteuil. Demain, je te ramène au palais.

Izzy sentit son cœur faire un bond. Il allait la *présenter* à ses parents ?

— C'est le bal annuel de *Rock'n'Royal*. Cet événement a pour but de collecter des fonds et a lieu tous les ans la veille du concert. Je veux que tu m'y accompagnes.

La panique envahit Izzy.

— C'est un grand raout officiel ?

— Si tu t'inquiètes à propos des fourchettes et des couteaux, tu as tort. Sois toi-même et tout ira bien.

— Je ne crois pas que ce soit une bonne idée. Tout le monde va se moquer de moi.

— Pourquoi se moquerait-on de toi ?

— Parce que c'est comme ça.

— Si je vois quelqu'un te regarder d'un air désagréable, je lui envoie un direct qui l'enverra valser à l'autre bout de la pièce ! Au fait, dit-il en jetant un coup d'œil à sa montre, nous partirons tôt demain matin, alors tu ferais mieux d'aller préparer tes bagages. J'ai encore quelques détails à régler avec Serena.

En plus, Izzy n'avait rien à porter pour une telle occasion.

— Je n'ai jamais participé à ce genre d'événement. Je ne saurai pas quoi dire et je n'ai pas envie de tout gâcher.

Matteo la regarda d'un air sincèrement surpris.

— Ce n'est qu'un bal, Izzy. Ensuite, je veux t'emmener quelque part, alors prends ta robe à paillettes.

Sur ces paroles, il quitta le bureau pour aller voir Serena, qui travaillait encore, elle aussi.

Pourquoi voulait-il qu'elle emporte sa robe rouge ? Comptait-il l'emmener danser dans un club ?

Dès que Matteo en eut terminé avec Serena, elle alla la trouver à son tour.

Le visage écarlate, elle se planta devant son bureau.

— Connaîtriez-vous de bonnes adresses pour le shopping, par hasard ? Enfin, des boutiques pas trop chères…

Après avoir haussé les sourcils d'un air interrogateur, Serena sourit avec chaleur.

— Je connais l'endroit idéal. Je demanderai au chauffeur de Matteo de vous y conduire. Mais je suis sûre que si vous en parliez à Matteo, il…

— Non, merci, l'interrompit Izzy. Je peux m'en charger moi-même mais je ne sais pas *quoi* acheter, c'est pour cela que j'ai besoin de vos conseils, vous comprenez ?

Vingt-quatre heures plus tard, Matteo faisait les cent pas dans ses appartements du palais royal.

Pourquoi mettait-elle autant de temps ? Si elle tardait encore, les invités s'accueilleraient tout seuls.

Habitué à fréquenter des femmes dont l'objectif semblait être d'obtenir libre accès à sa carte de crédit, il avait été très surpris qu'Izzy refuse de le laisser financer son shopping. Même quand il lui avait fait remarquer que c'était à cause de lui qu'elle devait aller faire des achats, elle avait secoué catégoriquement la tête.

Au moment où, à bout de patience, Matteo allait entrer dans la chambre et l'habiller lui-même, la porte s'ouvrit.

— Excuse-moi d'avoir été aussi longue. Je n'ai pas l'habitude de relever mes cheveux : en dépit de mes efforts, ils retombaient toujours et quand j'ai enfin réussi à les faire tenir, je n'arrivais pas à me voir de dos. Un vrai cauchemar…

Elle était superbe et ressemblait à une biche émergeant d'un fourré, prête à être dévorée.

— Il faut y aller. Nous sommes très en retard.

— Tu veux dire que je suis affreuse, dit-elle d'un air dépité.

— Non, je dis simplement que nous allons être en retard ! répliqua-t-il avec exaspération.

— Mais tu me trouves affreuse…

Matteo prit une profonde inspiration.

— Pas du tout. Je me demande juste comment te faire descendre au rez-de-chaussée…

— Très bien, je vais te donner un tuyau, riposta-t-elle d'une voix étrangement haut perchée : quand une femme a passé deux heures à se préparer pour une soirée qu'elle redoute, tu as intérêt à lui dire quelque chose de positif !

Matteo la regarda en fronçant les sourcils.

— Tu la redoutes ?

— Je ne l'ai jamais caché.

— Alors, pourquoi y vas-tu ?

— Parce que tu me l'as demandé ! Maintenant, allons-y et débarrassons-nous de cette corvée.

Parce qu'il le lui avait demandé… En s'efforçant de ne pas penser au sentiment qui pourrait pousser quelqu'un à faire pareil sacrifice, il tenta d'arranger les choses.

— Tu es *stupéfiante*.

— Trop tard. Un compliment arraché de force n'a aucune valeur.

Sans le regarder, elle se dirigea vers la porte, la tête haute.

— Tu réagis de façon excessive !

Mais il savait qu'il était responsable de sa nervosité. Il fallait qu'il se fasse pardonner avant qu'elle ne manifeste sa mauvaise humeur en public… Matteo caressa du regard l'élégant fourreau bleu cobalt qui moulait ses formes ravissantes et descendait jusqu'à ses chevilles.

— Ta robe est parfaite, *tesoro*. Bravo pour ton choix.

— Il n'y a rien de glorieux, franchement. Comme je ne suis pas filiforme, rien ne m'allait. Une vendeuse m'a dit d'un ton snob que ces robes étaient destinées à des femmes dont le corps n'empêchait pas le tissu de tomber. En d'autres termes, qu'elles n'étaient pas pour moi.

Elle serra sa pochette de soie contre sa poitrine.

— Celle-ci est agréable à porter, mais elle n'est pas signée par un styliste réputé et il y aura sans doute des gros titres très intéressants dans les journaux de demain. Bon, on y va ? Plus j'attends, plus j'appréhende…

Sans attendre la réponse de Matteo, elle ouvrit la porte et sortit de l'appartement — dans la mauvaise direction. Après l'avoir rejointe rapidement, il lui fit faire demi-tour et la conduisit vers l'ascenseur. Lorsque les portes coulissèrent en silence, il enfonça la main dans sa poche et en sortit un écrin.

— Tiens, c'est pour toi.

Elle contempla la boîte étroite et longue qu'il lui tendait.

— Tu essaies de te racheter pour ta mauvaise conduite ?

— J'ai acheté ceci *avant*. C'est un cadeau.

— Pourquoi m'offrirais-tu un cadeau ?

Matteo préféra ne pas se poser la question.

— J'espère que ça te plaira, dit-il en ouvrant l'écrin.

— Oh…

— Les pétales sont en platine et le cœur en diamant. Elle devrait durer plus longtemps que les vraies.

Comme elle ne disait toujours rien, il plissa le front.

— Bon, qu'est-ce qui ne va pas, cette fois ?

— Tu l'avais dans ta poche, pendant tout ce temps ?

— Oui. J'avais l'intention de te le donner plus tôt, mais tu as mis très longtemps à te préparer. C'est d'ailleurs très bien, s'empressa-t-il d'ajouter, parce que le résultat en valait la peine. Tu es absolument superbe.

— Tu as choisi ce bijou pour moi et c'est la plus belle chose qu'on m'ait jamais offerte. Alors que moi, je me suis montrée désagréable, se lamenta-t-elle. Je suis désolée.

Voyant les larmes perler dans ses yeux, Matteo fut saisi de panique et ajusta le fermoir du collier sur sa nuque avant de soulever le bracelet assorti.

— Ne t'excuse pas, tout est ma faute, dit-il précipitamment. Ils te vont très bien. Ça te plaît ?

— Je les *adore*, murmura-t-elle en posant la main sur sa gorge.

Soudain, Matteo eut l'impression de manquer d'air.

— C'est un cadeau de félicitations, et de remerciement pour le travail que tu as effectué sur la chanson.

Elle soutint son regard puis lui adressa un sourire espiègle.

— Pas de panique, Monsieur. C'est le collier et le bracelet, que j'adore — pas vous !

9.

Après lui avoir offert un somptueux présent, il était presque sorti de l'ascenseur en courant pour échapper à toute effusion…

Décidément, Matteo était un homme *très* compliqué. En plus, elle allait devoir poser pour les photographes sur les marches du palais…

— Puisque nous sommes au zoo, allons faire le singe pour les paparazzi, glissa-t-elle à Matteo.

Il lui adressa un regard sévère, puis les portes s'ouvrirent.

— Ne dis plus rien, ils savent lire sur les lèvres.

Izzy se figea tandis que Matteo lui prenait la main et que les flashes les mitraillaient de toutes parts.

— Souris ! ordonna-t-il entre ses dents.

Obéissante, elle sourit en serrant sa main de toutes ses forces. Ce soir, il était très calme, contrôlé, affrontant sans problème la horde de paparazzi et la foule avide de le voir.

Une fois qu'ils furent rentrés dans le palais, il l'entraîna vers les invités qui les attendaient.

— C'est toi qu'ils veulent rencontrer, pas moi…

Sans l'écouter, Matteo la poussa en avant d'une main douce, mais ferme.

Durant l'heure qui suivit, Izzy n'eut le temps de penser à rien tandis qu'elle serrait des centaines de mains et répétait inlassablement : *Ravie de vous rencontrer.*

Puis ils pénétrèrent enfin dans la salle de réception aux plafonds ornés de sublimes fresques, et où étincelaient d'immenses lustres en cristal.

Sur des écrans géants entourant la scène, des extraits des

précédents *Rock'n'Royal Concerts* se succédèrent. Mais lorsque Izzy se rendit compte qu'elle allait devoir s'asseoir à côté de l'un des plus prestigieux invités de Matteo, un cheikh, elle sentit l'appréhension lui nouer la poitrine.

Terrorisée par l'expression sévère de son voisin et par la perspective d'un silence embarrassant, elle chercha désespérément quelque chose d'intéressant à dire.

— Savez-vous que les chameaux sont les seuls animaux dont les globules rouges ont une forme ovale ?

Le cheikh la contempla d'un air abasourdi.

— Non, je l'ignorais.

Elle ne pourrait pas avaler une bouchée, elle était bien trop nerveuse.

— C'est cela qui les préserve de la déshydratation, poursuivit Izzy. Leurs globules rouges sont petits et très nombreux et, grâce à cela, leur sang est d'une extrême fluidité. Et quand le chameau fait provision d'eau, ils s'arrondissent. Je trouve ce phénomène fascinant…

Se rendant compte qu'il la contemplait avec sidération, elle s'interrompit un instant avant de continuer :

— Mais je sais bien que tout le monde ne partage pas mon avis. Alors, nous ferions mieux de changer de sujet. Je…

A cet instant, il lui adressa un sourire des plus chaleureux.

— Je trouve cela fascinant, moi aussi. Etes-vous spécialiste en science vétérinaire ?

— Non, je ne suis spécialiste en rien. Mais j'ai fait un exposé sur les chameaux, au lycée.

Renonçant à manger, Izzy reposa sa fourchette.

— Ces animaux sont désavantagés parce qu'ils sont bruyants et sentent fort. Or ce qu'on voit à l'extérieur n'est pas toujours le reflet de ce qu'il y a à l'intérieur, n'est-ce pas ?

Le cheikh prit son verre et commença à parler de son pays et de sa famille. C'était un homme très important, comprit Izzy mais, en fait, il nourrissait les mêmes espoirs et les mêmes inquiétudes que tout un chacun.

Elle croisa le regard de Matteo, installé en face d'elle. En dépit de tout ce qu'ils avaient partagé, il restait distant. Il en serait probablement toujours ainsi, songea Izzy avec regret.

Mais la conversation avec le cheikh était si agréable qu'elle ne vit pas le temps passer. Et lorsque soudain les premières notes de sa chanson résonnèrent dans l'immense salle, elle se tourna avec stupeur vers l'écran.

Matteo leva son verre en un toast silencieux et, lorsque le morceau fut terminé, il se leva et regarda les invités. Un silence total régna quelques instants, puis il commença à parler.

Sans s'aider de notes, il s'exprima avec éloquence, mettant en valeur les différentes associations caritatives soutenues par la Fondation du Prince.

Il était tellement à l'aise ! songea Izzy avec admiration. Il se servait de son titre et de son statut quand il en avait besoin, avant de les laisser de côté. C'était une arme supplémentaire à son impressionnant arsenal.

Un violent frisson la parcourut. Ce qu'elle ressentait pour Matteo était bien plus profond que de l'admiration, et cette découverte l'emplit d'une véritable terreur.

Après le discours du prince, les enchères commencèrent et lorsque le cheikh offrit plusieurs millions de dollars, elle l'embrassa spontanément et fut très touchée quand il l'invita à venir chez lui quand elle le voudrait.

Une fois les enchères terminées, Matteo vint la rejoindre avant de l'entraîner sur la piste de danse.

Consciente de tous les regards braqués sur eux, Izzy se sentit tendue à l'extrême.

— Pourquoi sommes-nous les seuls à danser ?

— Nous ouvrons le bal. C'est la tradition. Comment as-tu trouvé le dîner ?

— Je n'en sais rien. J'étais trop nerveuse pour avaler quoi que ce soit. Pourquoi m'avais-tu placée à côté du cheikh ?

— Parce que je savais que tu lui plairais. Tu es une originale.

— Merci.

— C'était un compliment, murmura-t-il. La fortune et le pouvoir ne t'impressionnent pas.

— Tu te trompes ! J'étais si impressionnée que j'en avais l'estomac noué !

— En tout cas, tu l'as conquis.

— Il est charmant, répliqua Izzy en se radoucissant. Tu as vu tout ce qu'il a donné à ta fondation…

— Il a de la ressource, ne t'en fais pas, chuchota Matteo.

Sa main était chaude sur son dos nu. Soudain, il inspira profondément et la lâcha.

— Il est l'heure de partir.

— Tu ne peux pas t'en aller maintenant ! protesta Izzy.

— Je peux faire tout ce que je veux, c'est ma soirée, fit-il avec un sourire en coin. Et je dois t'emmener quelque part. Tu as apporté ta robe à paillettes ?

— Oui, mais…

— *Bene*. Passons la prendre et allons-y.

Au lieu du club auquel elle s'attendait, Izzy se retrouva dans un gigantesque hôpital ultramoderne donnant sur la mer.

A la façon dont Matteo franchit l'entrée principale et s'avança dans le hall avant de se diriger vers le service de pédiatrie, il connaissait bien les lieux.

Une infirmière ouvrit la porte du service et les fit entrer.

— Nous ne vous attendions pas ce soir ! s'exclama-t-elle en souriant à Matteo d'un air ravi. Nous pensions que vous seriez trop fatigué après cette soirée de bienfaisance !

— Nous avons levé deux fois plus de fonds que l'année dernière. Où sont-ils tous ?

— Dans leur tanière, comme d'habitude. Ils étaient tous devant la télévision pour vous voir.

Elle se tourna vers Izzy en souriant avec chaleur.

— Vous êtes venue ! Merci ! Votre Altesse, pourquoi ne passeriez-vous pas voir Jessica avec votre invitée ? Elle a eu une dure journée : ça lui remonterait le moral.

— C'est pour cela que nous sommes venus, dit Matteo en hochant la tête.

La *tanière* se révéla être une large pièce lumineuse équipée de sofas, d'énormes poufs et de tous les équipements électroniques susceptibles de satisfaire les adolescents les plus exigeants.

— C'est toi qui as financé tout ça ? demanda Izzy tandis qu'ils s'arrêtaient sur le seuil.

— La Fondation du Prince soutient l'hôpital, entre autres. Il fallait un service réservé aux adolescents : nous avons réuni les fonds nécessaires pour l'équiper.

Il desserra son nœud papillon d'un geste expert. Deux jeunes garçons et une fille jouaient au billard dans un coin mais, dès qu'ils aperçurent Matteo, ils s'interrompirent.

— On dirait que vous avez chaud, Votre Altesse ! s'écria l'adolescente en posant la main sur sa hanche en souriant.

— Un peu de respect, Sonia…

Mais Matteo s'avançait déjà en souriant pour saluer les trois jeunes. Izzy ne put entendre ce qu'il dit ensuite mais ils éclatèrent tous de rire.

Un mur était recouvert d'un immense écran plat, remarqua-t-elle, et à côté se trouvaient des étagères remplies de DVD et de jeux informatiques. Dans un coin avait été installée une cuisine, avec une machine à pop-corn.

Matteo revint vers elle et lui prit la main avant de l'entraîner de nouveau dans le couloir.

— Je veux te présenter quelqu'un, dit-il en s'arrêtant devant une porte.

Lorsqu'il l'ouvrit, Izzy découvrit une chambre à deux lits et sur l'un d'eux, une jeune fille mince au visage pâle.

— Voici Jessica, reprit-il.

— Bonjour, dit Izzy avec un sourire timide. Ne faites pas attention à moi, bavardez avec Matteo comme si je n'étais pas là.

— Comme si *vous* n'étiez pas là…, murmura Jessica avant de se tourner vers Matteo et d'ajouter : vous l'avez amenée ! Merci ! Vous me l'aviez promis mais je n'y croyais pas.

Elle se retourna vers Izzy, les yeux emplis de larmes.

— Vous êtes… Vous êtes mon héroïne ! Je vous aime tellement. Nous vous adorons tous.

Izzy la regarda en écarquillant les yeux.

— Moi ?

— J'ai toutes vos chansons dans mon iPod ! s'exclama Jessica, tout excitée. Vous êtes ma source d'inspiration !

Vous voulez bien me signer un autographe ? Si j'avais su que vous veniez ce soir, j'aurais demandé à maman de m'apporter le poster que j'ai de vous.

Submergée, et ne se croyant pas digne d'une telle vénération, Izzy joua nerveusement avec une mèche de cheveux.

— Vous me confondez avec quelqu'un d'autre. Mon dernier single a été un échec total. Et je suis très douée pour semer la pagaille.

— Oui, je sais. Mais vous ne renoncez jamais. Même quand vous faites des erreurs, vous continuez…

Les yeux de Jessica brillèrent.

— Et quand j'ai vu ces photos de vous en train de pleurer, sur les marches de l'église…

— Ah, vous les avez vues ? fit Izzy avec embarras.

— Oui. Vous deviez vous sentir atrocement malheureuse…

— J'avais l'air malheureuse ?

— Oui, très malheureuse, même. En tout cas, vous, vous ne baissez pas les bras et vous ne vous cachez pas.

Jessica fouilla dans le casier installé à côté de son lit et en sortit une pile de magazines, tous ouverts sur des articles concernant Izzy.

— Vous voulez bien signer ? Vous êtes si courageuse — et vous avez un *look* fantastique ! Maman dit que lorsque j'irai mieux, elle essaiera de me trouver une robe rouge à paillettes comme celle que vous portiez le soir des fiançailles, au palais. J'en ai une photo, regardez.

— Vous aimez cette robe ?

— Vous plaisantez ? Elle est géniale !

Cette fois, Izzy avait compris pourquoi Matteo lui avait demandé d'apporter sa robe. Elle regarda le visage pâle de Jessica et la sortit de son sac.

— Tiens, tu vas peut-être devoir la faire retoucher un peu, parce que je suis plus grande et pas aussi mince que toi, dit-elle en la tendant à la jeune fille. Je ne t'ai pas apporté les chaussures parce que, franchement, ce sont de vrais engins de torture.

— Vous me la donnez ? Je n'y crois pas…

Jessica la prit avec précaution et effleura les paillettes du bout des doigts. Un tel ravissement se lisait sur ses traits qu'Izzy sentit un plaisir et une émotion inconnus l'envahir.

— Elle est à toi. Tu vas être superbe dedans.

— Je n'ai jamais rien eu d'aussi beau, dit l'adolescente en regardant Matteo avec adoration. Je n'arrive pas à croire que vous soyez venu avec elle. Merci.

— Tu as bien fait de me dire qu'elle était ton idole, répliqua-t-il en se laissant tomber sur une chaise.

Izzy s'assit à son tour en répondant aux questions de Jessica qui l'interrogea sur tout, depuis la façon dont elle travaillait sa voix, jusqu'à son maquillage. Au bout d'environ vingt minutes, Izzy s'aperçut que Matteo s'était endormi.

— Il a beaucoup travaillé, dit-elle pour l'excuser.

— Ce n'est pas grave, répliqua Jessica en souriant. C'est vous que je voulais voir. Enfin, je ne veux pas dire que le prince n'est pas *cool*, bien sûr. Il ramasse des tonnes d'argent et il vient toujours ici quand on ne l'attend pas. On pourrait croire qu'il veut être vu par la presse, mais non, ce n'est pas son genre. Au contraire !

— Tu as raison.

Izzy saisissait enfin pourquoi Matteo tenait autant à sa réputation. S'il la négligeait, personne ne soutiendrait sa fondation ou ne ferait de dons.

Mon Dieu, elle l'aimait ! Elle l'aimait *vraiment*, songea Izzy, presque mal à l'aise. Cette prise de conscience la terrifiait parce que Matteo ne ferait jamais confiance à aucune femme. Et, de son côté, elle ne pouvait pas passer sa vie à marcher sur des œufs en se demandant si elle ne lui causait pas du tort.

— Vous vous sentez bien ? demanda Jessica en l'observant.

— Oui, j'ai juste un peu chaud.

— Si mes prochaines analyses sont bonnes, Matteo va nous obtenir des places pour le concert, dans une zone réservée aux VIP, je crois. Et si maman peut retoucher la robe à temps, je la mettrai pour y aller.

Comparés à ceux de Jessica, ses problèmes n'étaient rien, songea Izzy en admirant le courage de la jeune fille.

— Je suppose que vous serez trop occupée pour me parler, ajouta celle-ci d'un ton détaché.

Izzy se pencha vers elle et la prit dans ses bras. Jessica était si mince et, pourtant, elle la serra si fort…

Non, je ne serai pas trop occupée, dit elle d'une voix rauque. Et je serai très contente de te voir là-bas.

— Au fait, le prince et vous… Vous… êtes ensemble ?

— Nous sommes de bons amis, répondit Izzy en refoulant son embarras.

Matteo était une forteresse, songea-t-elle avec amertume. Il avait érigé autour de lui des remparts infranchissables — et qui le resteraient.

— Tu es bien silencieuse, dit Matteo en ôtant sa veste. La visite à l'hôpital t'a perturbée ?

Izzy se débarrassa de ses chaussures.

— Non, répondit-elle sans le regarder. Au contraire, je suis contente que tu m'y aies emmenée.

— Dès qu'ils ont vu ta photo, celle prise le soir des fiançailles, ils m'ont harcelé pour que je vienne avec toi. Surtout Jessica. Tu as plus de fans que tu le crois.

Sans cesser de l'observer, Matteo laissa tomber ses boutons de manchettes sur la table. Quelque chose la préoccupait, c'était évident, mais pour une fois elle gardait ses soucis pour elle.

— C'est bien.

— C'est gentil de ta part de lui avoir donné ta robe.

Comme elle ne réagissait pas, il commença à se sentir inquiet, et irrité à la fois.

— D'habitude, tu n'arrêtes pas de parler. Qu'est-ce qui ne va pas ?

— Rien du tout, dit-elle avec un sourire trop éclatant. Tu descends ma fermeture Eclair ?

Elle lui tourna le dos et Matteo s'exécuta. Lorsque ses doigts effleurèrent son dos nu, elle se retourna et lui passa les bras autour du cou.

— Embrasse-moi, dit-elle dans un souffle. Tout de suite.

Quand elle renversa la tête en arrière, il sentit le désir rugir en lui. Il aurait voulu insister pour savoir ce qui la tracassait, mais sa libido l'emporta sur son inquiétude.

A vrai dire, les messages contradictoires qui circulaient dans son cerveau le rendaient fou. Il désirait Izzy, mais il ne voulait pas qu'elle soit trop proche. Il était programmé pour éviter l'intimité, mais quand c'était Izzy qui dressait des barrières il brûlait de les démolir.

Tout en dévorant sa bouche, Matteo la serra contre lui en essayant d'annihiler les questions qui tournoyaient dans son esprit. La robe glissa sur le sol, et bientôt Izzy fut nue devant lui.

Il n'y avait pas d'issue, conclut-il. Il était perdu : il se sentait envahi par des émotions qu'il n'avait jamais ressenties auparavant, et aspirait à dire des choses qu'il n'avait encore jamais dites.

Son contrôle lui échappait. Izzy enfonça les ongles dans ses épaules tandis qu'il la pénétrait d'un coup de reins vigoureux.

— Izzy…

Il ferma les yeux et essaya de reprendre le contrôle de lui-même, mais en vain. Le corps d'Izzy s'accordait au sien en une harmonie parfaite.

Après la jouissance, elle s'enroula à lui et il la serra farouchement dans ses bras.

Jamais il n'avait ressenti quelque chose d'aussi fort avec une femme, reconnut-il tandis qu'Izzy s'endormait déjà.

Quand il se réveilla, le lendemain matin, elle faisait sa valise, vêtue d'un short minuscule en dentelle qui faisait paraître ses jambes encore plus longues.

Matteo se redressa sur son séant en se frottant les yeux.

— Qu'est-ce que tu fais ?

— Mes bagages. Après le concert, je rentre chez moi.

— Chez toi ? En Angleterre ?

— Où veux-tu que j'aille ? dit-elle en fourrant une robe dans la valise. Et comme tout va s'enchaîner à un rythme fou cet après-midi, je voudrais te dire merci maintenant, au cas où je n'en aurais pas l'occasion plus tard.

Matteo sentit un frisson glacé au creux de ses reins.

— De quoi veux-tu me remercier ?

— De tout ce que tu as fait pour ma carrière, bien sûr. Enfin, ce n'est pas encore gagné, mais c'est bien parti, cette fois, dit-elle en enfonçant le Bikini fuchsia dans une poche latérale. Quand je t'avais pris comme *objectif du jour*, je ne me doutais pas que ça irait aussi loin !

Matteo la contempla en silence en contenant à grand-peine sa colère. Bon sang, ils avaient passé un mois ensemble, ils avaient partagé les étreintes les plus fabuleuses ! Il avait organisé un pique-nique et nagé dans sa fontaine ! Et elle le remerciait d'avoir donné un petit coup de pouce à sa carrière ?

— Si je comprends bien, durant tout ce mois, tu songeais uniquement à atteindre ton objectif ? lança-t-il d'un ton dur.

Elle redressa la tête, l'air choqué.

— Bien sûr que non ! Nous nous sommes bien amusés ensemble, mais même les meilleures choses ont une fin, non ? Et puis tu es très occupé, moi aussi…

La seule *occupation* à laquelle il avait envie de se livrer, c'était de lui ôter ce short affriolant et de la renverser sur le lit.

— Tu pourrais rester après le concert.

— Pour quoi faire ? Nous avons toujours su tous les deux qu'il ne s'agissait que d'une aventure éphémère. C'était justement ce dont j'avais besoin : cela m'a aidée à retrouver confiance en moi, après ce lamentable échec avec Brian. Et c'était parfait pour toi aussi, puisque tu ne vis que des liaisons passagères et superficielles.

En effet, et c'est pourquoi son soudain accès de colère n'avait aucun sens. Furieux contre lui-même et contre Izzy, Matteo bondit hors du lit.

— Et merci encore de m'avoir donné un passe pour circuler librement dans les coulisses, continua-t-elle sans lui prêter attention. Je suis si heureuse !

C'était tout ce qu'elle trouvait à dire ? Saisissant son

téléphone d'un geste rageur, Matteo se dirigea vers la salle de bains.

Pourquoi les hommes ne disaient-ils jamais ce que les femmes souhaitaient entendre ? En proie à une tristesse insondable, Izzy regarda ses idoles en se répétant qu'elle était folle de joie et d'excitation, alors qu'en réalité elle avait du mal à retenir ses larmes en pensant à Matteo.

Quand il avait sauté du lit, elle avait vraiment cru qu'il allait la prendre dans ses bras et la supplier de ne pas partir. Au lieu de cela, il était allé se doucher sans même lui adresser un regard.

Raison de plus pour quitter cette île ! Hélas, cette pensée ne la soulagea pas. Elle aimait Matteo. A la folie.

Mettre un terme à leur histoire lui déchirait le cœur. En outre, Matteo avait tellement l'habitude que les femmes s'intéressent à lui pour son titre et ses relations qu'il s'était laissé convaincre sans difficulté que, durant ce mois, seul son objectif avait compté pour elle.

Blessée qu'il ait une aussi piètre opinion d'elle, Izzy recula pour laisser passer un groupe de rock célèbre qui allait entrer en scène.

De toute façon, elle devait tenir le coup jusqu'à la fin du concert. Son *objectif du jour* consistait simplement à survivre à cette épreuve atroce.

Les artistes se succédèrent devant une foule de spectateurs extatiques et, au moment d'un entracte, Izzy vit Jessica venir vers elle, accompagnée des autres adolescents du service. Ils étaient tellement ravis et excités que leur joie la réconforta un petit peu.

Lorsque la nuit fut tout à fait tombée, et que le concert atteignit son apogée, Izzy se sentait si épuisée qu'elle attendait seulement que son supplice se termine enfin. Plongée dans ses sombres pensées, elle ne remarqua même pas la présence de Matteo à côté d'elle. Quand elle s'en aperçut, elle se tourna vers lui en fronçant les sourcils.

— Qu'est-ce qu'il y a ?

— Tu plaisantes ? répliqua-t-il d'un air incrédule. Tu n'as rien remarqué ?

— Euh… Le concert est fantastique… L'auditoire est fabuleux…

— Callie vient d'être emmenée à l'hôpital.

— Oh ! la pauvre, j'espère que ce n'est pas grave ?

— Non, ce n'est pas grave, dit-il entre ses dents. Mais ce qui est *dramatique*, c'est qu'elle devait passer en scène après le morceau en cours et chanter ta chanson. Tu vas devoir la remplacer.

— Mais je…

— Personne d'autre ne la connaît et les spectateurs l'attendent : c'est la chanson officielle de la manifestation. Tu devrais être ravie, non ?

Il claqua des doigts et un technicien se précipita vers lui avec un micro.

— C'est l'opportunité rêvée pour ta carrière — et nous savons tous les deux que tu n'en manques jamais une seule.

Quelques semaines plus tôt, Izzy aurait sauté de joie mais, à présent, elle ne pensait qu'à leur séparation imminente.

— Je ne sais pas si je…

— Tu y arriveras sans problème.

Matteo prit le micro des mains du technicien et le fixa lui-même. Lorsque ses doigts frôlèrent sa peau, Izzy frissonna. L'espace d'un instant, elle crut qu'il devinait ce qu'elle ressentait, mais c'était sans doute encore le fruit de son imagination. Quand il la prit par la main et l'entraîna sans dire un mot, elle comprit enfin qu'elle allait devoir s'avancer sur cette scène, devant une foule immense, et chanter — alors qu'elle était au plus mal. Terrassée par un trac insurmontable, elle sentit ses jambes se mettre à trembler.

— Je ne peux pas : je suis en short.

Il lui adressa un regard bref, comme s'il ne pouvait supporter sa vue.

— Tu es parfaite : très *rock*.

— Je n'ai pas répété…

Les acclamations montèrent du public, et elle se retrouva

sur la scène. Eblouie par les spots, Izzy entendit les cris se raréfier, puis un silence total se faire dans l'auditoire. Stupéfaite, elle aperçut alors Allegra et Alex, au premier rang, dans les fauteuils réservés aux VIP : elle ignorait qu'ils étaient invités…

Génial, maintenant tout le monde allait la voir se planter…

Pressentant que ses jambes allaient lâcher, elle se laissa tomber sur le tabouret installé devant le piano et posa ses doigts sur le clavier. Un murmure passa parmi les spectateurs et Izzy vit un faisceau lumineux se poser sur elle. Sa gorge était si nouée qu'elle crut étouffer.

Comment avait-elle pu tomber amoureuse d'un homme en quelques semaines ? Et en plus, d'un *prince,* qui refusait tout engagement ?

Soudain submergée par une terrible envie de pleurer, elle refoula ses sanglots. Puis, tournant la tête vers les coulisses, elle croisa le regard de Matteo. Izzy sentit un violent frisson la parcourir tandis que, sans savoir comment, elle réussissait à jouer les premières notes de l'introduction de *Le moi que tu ne vois pas.*

Une nouvelle rumeur monta du public, avant de s'éteindre dès qu'Izzy commença à chanter.

Regarde-moi…

Sa voix vibrait d'émotion et, durant une seconde brève mais atroce, elle crut qu'elle ne pourrait pas continuer. Puis elle se rendit compte qu'elle tenait là une chance, une chance unique, de dire son amour à Matteo. Avec l'énergie du désespoir, elle poursuivit :

Je ne suis pas celle que tu vois…

Sa voix s'amplifia et Izzy oublia le public. Elle oublia tout sauf l'homme dont le regard était rivé au sien. L'homme qu'elle aimait.

C'était *sa* chanson et elle la chanterait exactement comme elle voulait la chanter. Izzy investit tout son cœur, toute son âme et lorsque les dernières notes s'égrenèrent, puis se turent, elle arracha son regard à celui de Matteo et se leva.

Après avoir salué la foule qui l'acclamait debout, Izzy quitta la scène.

— Tu as été incroyable…

— Bravo…

— Mille fois mieux que Callie…

Recevant les compliments qui pleuvaient sur elle avec le sourire et murmurant des *merci*, elle se fraya un passage vers la sortie.

— Attends !

Sa voix profonde fit frissonner Izzy et elle songea un instant à s'enfuir en courant, mais avec des talons pareils, c'était impossible. Après avoir inspiré à fond, elle se retourna et se prépara à affronter Matteo.

— Tu as chanté brillamment. Ils t'adorent.

Izzy entendit alors un rugissement : c'était le public.

— C'est super.

Matteo se planta devant elle. Dans ce jean noir, songea-t-elle, il était sublime. Puis elle le regarda vraiment et vit le trouble dans ses yeux, ses traits tendus.

— Puisque, au départ, ton *objectif du jour* était de m'utiliser pour relancer ta carrière, je ne comprends pas pourquoi tu t'en vas.

Tremblant de la tête aux pieds, Izzy se força à redresser les épaules.

— Le concert a été une réussite totale. J'espère que tu as récolté des tonnes d'argent. A présent, je dois…

— Si tu voulais m'utiliser pour relancer ta carrière, alors tu devrais continuer à te servir de moi. Après avoir été ton *objectif du jour*, je pourrais aussi être celui du lendemain. En restant avec moi, tu bénéficieras de toute la publicité dont tu as besoin.

Craignant de s'effondrer sur place, Izzy prit une profonde inspiration.

— Tu as fait ta part.

Elle aurait voulu prendre un ton dégagé, mais sa voix était un chuchotement à peine audible.

— Aurais-je soudain perdu de mon influence sans m'en rendre compte ? Ou mon studio aurait-il brûlé en mon absence ? demanda-t-il, les yeux étincelants. C'est tout ce que notre relation a représenté pour toi ?

Jamais Izzy ne l'avait vu dans un tel état. Le cœur battant la chamade, elle soutint son regard.

— Et pour toi, qu'est-ce qu'elle représentait, Matteo ?

Un long silence accueillit ses paroles. *Il ne changerait jamais*, songea-t-elle en sentant toute énergie la déserter.

— Je n'en peux plus, reprit-elle. Tout ce stress va finir par me rendre malade, et toi aussi. Je veux sortir de ta vie avant qu'il ne soit trop tard. Je te souhaite une foule de bonnes choses.

— Non !

Le ton était si brusque qu'elle recula d'un pas.

— Tu serais mieux avec une femme qui ne ressent aucune émotion et ce n'est vraiment pas mon cas. J'avoue que je ne me sens pas à la hauteur : j'ai tellement peur de dire ce qu'il ne faut pas que je ne dirais plus rien du tout. Je ne parle même pas des moments où c'est très difficile de ne pas dire je t'aime — je ne peux même pas te remercier pour tes cadeaux parce que ça te fait fuir ! Alors il est temps de prendre des mesures. Ça a été formidable et ne crois pas que je ne te sois pas reconnaissante pour tout ce que tu as fait…

— Tu veux bien te taire une seconde ? l'interrompit-il d'une voix rauque. Cela t'est difficile de ne pas dire « je t'aime » ?

Après avoir dégluti péniblement, Izzy rassembla tout son courage.

— *Très* difficile. Pourquoi crois-tu que je m'en aille ? Un de ces jours, cela m'échapperait et tu serais mortifié.

Le visage de Matteo devint blême.

— Tu m'aimes ? Tu es sérieuse ?

— Oui, je t'aime, mais ne panique pas : je m'en vais. Tout de suite. L'avion m'attend.

— Mais… si tu m'aimes, pourquoi pars-tu ?

— Premièrement, parce que tu ne feras jamais confiance à une femme, et même si je ne peux pas t'en vouloir, je suis incapable de vivre comme cela. Deuxièmement, parce que je suis une catastrophe ambulante et qu'au bout de cinq minutes, je détruirais sans doute tout ce que tu as fait pour moi. Alors, accepte mon départ comme un service que je te rends et laisse-moi passer.

— Non.

Tendue à craquer, Izzy explosa.

— Tu es un égoïste ! Tu finirais par me briser le cœur et je préfère tout arrêter maintenant. Je n'aime pas le suspense !

Il émit un rire bref et posa les mains sur ses bras.

— Tu as raison, je suis égoïste : il est hors de question que je renonce à toi.

Izzy le regarda à travers ses larmes.

— Je…

— Jamais.

— Jamais ?

— Moi aussi, je t'aime. Tu ne peux pas savoir à quel point.

L'aveu avait franchi ses lèvres avec une telle simplicité, une telle *sincérité*, qu'Izzy en eut le souffle coupé.

— Tu as raison, dit-elle d'une voix blanche. Je l'ignore. A quel point, exactement ?

— A en perdre la tête.

Il l'enlaça et la tint serrée contre lui.

— Je ne te laisserai *jamais* partir. A partir de maintenant, mon *objectif de chaque jour* sera de te rendre heureuse.

Prisonnière entre ses bras, Izzy resta blottie contre son corps. Il l'aimait ? *Lui ?*

— Même si c'est vrai, murmura-t-elle, il ne faut pas.

— Qu'est-ce que tu racontes ? demanda-t-il en l'écartant doucement. Je t'interdis de protester.

— Je te gâcherais la vie. Tu crois que je n'ai pas vu les gros titres, ce matin : « Le prince et la pop star » ?

Les larmes se mirent à couler sur les joues d'Izzy. Maintenant qu'elle savait qu'il l'aimait, c'était encore plus dur.

— Ils disent que je me suis servie de toi pour faire avancer ma carrière. En fait, ils disent des choses bien pires que cela, mais peu importe, je serai toujours une proie idéale pour les journalistes de la presse à scandale.

— Au palais, nous servons de fabuleux burgers avec frites, dit-il, les yeux pétillant de malice.

Au souvenir de l'épisode du micro, le soir des fiançailles, Izzy devint écarlate.

— Tu vois ? Ce n'était que le début et ça ne ferait qu'empirer. Il te faut une femme comme cette Katarina : je suis sûre qu'elle, elle supporte sans souffrir des talons aiguilles de vingt centimètres !

Il haussa un sourcil.

— Tu pourrais essayer de garder tes chaussures aux pieds, cela me suffirait.

— Comment peux-tu plaisanter ? protesta-t-elle en lui martelant la poitrine de ses poings. Laisse-moi finir, et ensuite je m'en irai. La première fois que je t'ai rencontré, je t'ai trouvé froid, arrogant et insensible. Pour te dire la vérité, j'ai pensé que tu étais un snob fini. Mais quand j'ai vu tout ce que tu faisais, j'ai commencé à comprendre pourquoi tu tenais tant à ta réputation et j'ai admiré le fait qu'au lieu d'être devenu cynique, tu avais utilisé ton expérience pour aider les autres.

— Izzy, je suis vraiment cynique. Du moins, je l'étais avant de te rencontrer.

Matteo prit son visage entre ses mains et la força à le regarder.

— C'est normal que tu m'aies pris pour un snob fini : je me suis conduit de façon détestable envers toi et oui, c'est vrai, je me suis fié aux apparences. Chaque fois que tu chantes cette chanson, j'ai honte parce que cela me rappelle combien je me suis montré injuste.

— C'est moi qui me suis conduite de façon détestable, gémit Izzy. Et c'est ce que j'essaie de te dire. J'ai beau faire des efforts terribles, le résultat est toujours catastrophique. Par exemple, en me baignant dans ta fontaine, je ne…

— Grâce à toi, j'ai découvert que j'*adorais* me baigner dans ma fontaine.

Les larmes roulèrent de nouveau sur ses joues.

— Pour une fois que je fais quelque chose qui n'est pas égoïste…

— *Per favore*, ne pleure pas ! murmura-t-il. Je ne veux

plus jamais te voir pleurer. Et en quoi me quitter ne serait-il pas égoïste ?

— Si nous restions ensemble, la presse se focaliserait sur moi. Ils ne parleraient plus du travail fantastique que tu fais, mais seulement de mon style vestimentaire absurde ou de choses tout aussi futiles. Les gens perdraient tout respect pour toi et ne te donneraient plus d'argent. Alors que tu aides tant de monde… Je m'en vais pour protéger ta réputation.

Il essuya délicatement ses larmes.

— Tu crois que je vais te laisser partir après ce que nous avons partagé ? Tu m'admires trop, Izzy. En réalité, j'ai aidé les autres pour remplir le vide de ma vie. J'ai connu pas mal de maîtresses, mais je n'ai partagé d'intimité qu'avec une seule femme : toi. Je n'aurais jamais cru que cela puisse m'arriver. Et si j'ai lutté contre mes sentiments, c'était parce qu'ils me terrorisaient. Je pensais ne jamais pouvoir partager ma vie avec personne, et puis je t'ai rencontrée.

— Moi, Izzy Jackson. La risée nationale.

— Izzy Jackson, la femme la plus courageuse et la plus audacieuse que j'aie jamais rencontrée. Je te parie que tu seras bientôt une source d'inspiration pour tout le pays et que le peuple de Santina t'aimera autant que je t'aime.

— Tu m'aimes vraiment ? demanda Izzy en s'efforçant de retenir ses larmes.

— A en mourir de peur.

— Tu ne peux pas avoir plus peur que moi. Je… Je ne suis pas très habituée à partager mon intimité non plus. Et dans ma famille, personne n'est très démonstratif.

— Nous allons nous surprendre mutuellement, dit-il en penchant son visage vers le sien.

Il déposa un baiser d'une tendresse inouïe sur ses lèvres, lorsque quelqu'un toussota derrière eux.

— Votre Altesse… On a besoin de vous sur scène dans deux minutes. Le public attend que vous leur disiez quelques mots.

— Je viens tout de suite, répliqua Matteo sans cesser de regarder Izzy.

— Vas-y, ils t'attendent, murmura-t-elle.

— Eh bien, qu'ils m'attendent !

Il se tut un instant.

— Je sais que devenir princesse ne t'a jamais intéressée, mais je pourrais peut-être réussir à te faire changer d'avis ?

La gorge trop nouée pour prononcer un mot, Izzy le contempla en écarquillant les yeux.

— Je suis en train de vous demander de m'épouser et de devenir ma princesse, Izzy Jackson, reprit-il avec un sourire espiègle.

Cette fois, elle ouvrit la bouche, mais aucun son n'en sortit.

— Dis quelque chose ! Je t'aime, je veux t'avoir à mes côtés et, ensemble, nous allons faire de grandes choses, j'en suis sûr.

Toujours incapable de parler, Izzy l'entendit jurer entre ses dents.

— Le public m'attend. Je dois aller leur parler et je veux que tu m'accompagnes.

— Que je t'accompagne ? murmura-t-elle.

— Oui, ce soir, demain soir et tous les jours suivants ! Alors, tu viens ? Je veux présenter ma princesse au monde entier.

En état de choc, Izzy prit sa main et le suivit.

— Je n'ai encore jamais porté quelque chose de brillant sur la tête.

Il éclata de rire et resserra les doigts autour des siens.

— Je t'achèterai un diadème dès demain matin, promis !

— Ralentis un peu, s'il te plaît. Mes chaussures me font mal.

— Ce n'est pas nouveau. Elles te font *toujours* mal, *tesoro*.

— Quand on est princesse, est-on obligée de porter des chaussures tout le temps ?

Un lent sourire se dessina sur sa bouche sensuelle avant d'illuminer tout son visage. Puis il la souleva dans ses bras et s'avança vers la scène.

— Bien sûr que non. Tu n'as pas lu *Cendrillon* ?

Tournez vite la page et découvrez,
en avant-première, un extrait du sixième roman de
votre saga Azur, à paraître le 1er septembre...

— Carlotta.

Lorsqu'elle s'arrêta et se retourna de nouveau, Rodriguez remarqua que ses yeux étaient vraiment très verts.

— Oui, Père ?

— Reste un moment.

Carlotta lui adressa un bref regard avant de se tourner vers son père.

— Je te présente le prince Rodriguez Anguiano, le fiancé de ta sœur Sophia.

Cette fois, elle le regarda d'un air étrange, presque timide.

— Enchanté, dit le prince en lui adressant un sourire. Bien que je ne me considère plus comme le fiancé de Sophia, puisqu'elle s'est enfuie avec le Maharajah.

A ces mots, elle battit des paupières avant de contempler son père avec inquiétude. Elle paraissait le craindre, ou du moins être nerveuse en sa présence. Pourtant, le roi ne paraissait pas bien méchant, il évoquait plutôt un lion un peu las qui ne faisait que rugir, sans jamais donner le moindre coup de patte.

— Elle ne s'est pas *enfuie* avec le Maha… avec Ashok, répliqua-t-il.

— Peu importe, rétorqua le prince, le résultat est le même : je me retrouve sans fiancée et nous ne sommes plus liés par aucun contrat.

— Puis-je vous laisser, Père ? demanda alors Carlotta, visiblement mal à l'aise.

— Non.

La princesse était adulte, pourquoi avait-elle besoin de la permission de son père pour s'en aller ? se demanda

Rodriguez, étonné. Son ex-future fiancée s'en était fort bien passée…

Le regard de la jeune femme s'arrêta un instant sur le sien, avant de se reporter sur son père.

— Je dois passer voir Luca…

— Cela peut attendre, Carlotta, l'interrompit son père brutalement. Accorde-moi cette faveur.

Dios ! Il détestait ce type de comportement, s'emporta Rodriguez en son for intérieur. Comment pouvait-on abuser ainsi de sa puissance, de son pouvoir — avec ses propres enfants ?

— Puisque vous n'avez plus d'épouse à me proposer, je ne vois pas de raison de rester, dit-il au roi.

— Dites-moi, Rodriguez, nourrissiez-vous des sentiments envers Sophia ?

— Vous savez bien que non : je ne la connaissais même pas.

— Par conséquent, c'est son nom qui vous intéressait, pas sa personne ?

En effet, il se fichait de celle qu'il épouserait, du moment qu'elle lui donnait des héritiers et saluait gentiment le peuple du haut du balcon royal.

— Vous le savez aussi bien que moi.

— Dans ce cas, j'ai une fiancée pour vous, répliqua le roi Eduardo en dardant son regard brun sur sa fille : Carlotta.

Suffoquée, Carlotta regarda Rodriguez avant de se tourner de nouveau vers son père. Elle avait dû mal entendre, il ne pouvait pas la *donner* ainsi… Comme un objet, en guise de cadeau, à un prince étranger en visite au palais…

Mais pourquoi était-elle choquée ? Le roi Eduardo pensait bien sûr qu'elle-même s'était déjà *donnée* autrefois.

Repoussant cette pensée, Carlotta continua à le regarder tandis qu'un silence de plus en plus oppressant emplissait la pièce.

Finalement, Rodriguez laissa échapper un rire bref et dur.

— Vous me proposez un échange ?

— Disons plutôt que je vous offre le moyen de maintenir notre contrat, Prince Rodriguez.

Incapable de prononcer un mot, Carlotta secoua la tête en s'efforçant de rester calme.

La fuite de Sophia l'avait sidérée. Sa sœur avait en effet refusé le mariage arrangé pour elle avec Rodriguez, alors que cette union était destinée à forger une alliance d'une importance capitale entre Santina et Santa Christobel.

Mais pas un instant Carlotta n'avait imaginé qu'elle allait se trouver impliquée dans cette histoire…

— Je n'ai pas l'intention de me marier avec une femme qui semble prête à défaillir à la seule perspective de devenir mon épouse. Je peux fort bien trouver une princesse qui ne considère pas ma simple présence comme une offense, Eduardo. Nous n'avons plus rien à faire ensemble.

Après s'être détourné, il sortit, la laissant seule avec son père. Le silence avait changé de nature, à présent. De la rage tendait l'atmosphère, mêlée à un profond désappointement. Elle les sentait peser sur sa poitrine, monter dans sa gorge, au risque de l'étouffer.

Carlotta connaissait bien cette sensation. Elle l'avait déjà expérimentée. Dans cet endroit même…

collection *Azur*

Ne manquez pas, dès le 1er septembre

POUR L'AMOUR DE CHLOÉ, *Robyn Donald* • *N°3386*

En voyant Lukas Michelakis apparaître devant elle, Iona sent son cœur s'emballer. Comment aurait-elle pu oublier les deux semaines de passion qu'ils ont partagées, un an plus tôt ? Une passion à laquelle elle a dû renoncer, sans même pouvoir expliquer à Lukas les raisons de son départ… Jamais elle n'aurait cru qu'il viendrait un jour la trouver, elle, alors qu'il a toutes les raisons de la détester. Et qu'il serait accompagné d'une adorable petite fille ! La stupeur d'Iona ne fait qu'augmenter lorsqu'elle comprend que Lukas veut lui confier l'enfant le temps de son séjour pour affaires à Auckland. D'abord hésitante, elle finit par accepter. Car, si elle se méfie des sentiments que Lukas éveille encore en elle, elle ne se sent pas la force de résister aux grands yeux tristes de la petite Chloé...

LA TENTATION DE LUIZ MONTES, *Cathy Williams* • *N°3387*

Arrogant, autoritaire et obsédé par son travail : Luiz Carlos Montes représente tout ce qu'Aggie a toujours détesté. Aussi, lorsqu'elle comprend qu'il a le pouvoir de détruire la vie de son frère, est-elle consternée de se retrouver à sa merci, sans autre choix que de l'accompagner à l'autre bout de l'Angleterre, comme il l'exige… Mais, lorsqu'une tempête les oblige à s'arrêter dans un hôtel pour la nuit, Aggie sent, cette fois, la panique la gagner : si en public elle parvient à dissimuler l'attirance irrésistible qu'elle ressent, bien malgré elle, pour Luiz, qu'en sera-t-il dans l'intimité de ce refuge coupé du monde ?

L'HÉRITIER DES FALCONARI, *Penny Jordan* • *N°3388*

Lorsqu'elle croise le regard de Caesar Falconari, Louise a l'impression que son cœur va s'arrêter de battre. Après toutes ces années, comment cet homme qui l'a rejetée et trahie peut-il encore la troubler à ce point? Un trouble qui se change en colère lorsqu'il lui révèle son intention de revendiquer ses droits sur leur fils, Olivier, pour en faire son héritier. Paniquée, Louise comprend qu'elle n'a pas le choix. Si elle ne veut pas risquer de perdre la garde de son fils, elle va devoir accepter les terribles conditions de Caesar : l'épouser et venir vivre avec lui en Sicile. Une perspective d'autant plus inquiétante que la simple présence de Caesar suffit à éveiller en elle les brûlants souvenirs de la nuit inoubliable qu'ils ont autrefois partagée...

UNE SCANDALEUSE ATTIRANCE, *Lucy King* • *N°3389*

Impitoyable en affaires, bourreau des cœurs… La réputation de Jack Taylor n'est plus à faire. Aussi, quand ce dernier l'invite à dîner, Imogen refuse-t-elle fermement. Mais Jack ne semble pas découragé pour autant. Et lorsqu'il lui prouve, au cours d'une envoutante soirée, qu'il peut être aussi galant qu'il est arrogant, elle ne trouve plus le courage de le repousser. Puisqu'elle doit bientôt quitter Londres pour New York, pourquoi ne s'offrirait-elle pas une parenthèse enchantée entre ses bras ? A condition de ne pas s'attacher, bien sûr...

UN SECRET IRRÉSISTIBLE, *Emma Darcy* • *N°3390*

Enfant Secret

S'il y a bien quelqu'un que Tina ne s'attendait pas à croiser au mariage de sa sœur, c'est Ari Zavros, le puissant homme d'affaires grec avec lequel elle a vécu une folle passion, six ans plus tôt — avant qu'il ne disparaisse du jour au lendemain, sans un mot d'explication. Déjà désemparée par l'attirance qu'elle éprouve, aujourd'hui encore, pour cet homme qui lui a brisé le cœur, Tina sent très vite un profond sentiment d'angoisse l'envahir. Comment réagira Ari s'il découvre le secret qu'elle a précieusement gardé durant toutes ces années ?

LA MAÎTRESSE DU MAHARAJAH, *Susan Stephen* • *N°3391*

Lorsqu'elle entend la voix de Ram, Mia sent un curieux mélange d'excitation et d'angoisse l'envahir. Car, si elle n'a jamais oublié cet homme dont elle a été follement amoureuse, elle sait qu'il ne trouvera plus rien en elle de la jeune fille insouciante qu'elle était jadis, avant qu'un terrible accident ne bouleverse sa vie à tout jamais… Pourtant, il lui suffit d'un regard pour comprendre que Ram l'attire aussi violemment qu'autrefois. A tel point que lorsqu'il lui promet de lui redonner goût à la vie, elle a désespérément envie de le croire. Mais comment pourrait-elle lui faire confiance, alors qu'il l'a déjà abandonnée une fois ?

UN AMANT ITALIEN, *Janette Kenny* • *N°3392*

Marco Vincienta. Lorsque l'imposante stature de son ancien amant s'encadre dans la porte de son bureau, Delanie sent son sang se glacer dans ses veines. Comment cet homme assez impitoyable pour vouloir démanteler l'entreprise familiale dont elle vient d'hériter, ose-t-il se présenter devant elle ? Hélas, elle ne tarde pas à comprendre la cruelle vérité quand Marco la soumet à un odieux chantage : il ne consentira à épargner son entreprise que si elle accepte de le suivre en Italie. Révoltée, Delanie n'a pourtant d'autre choix que de s'en remettre à la parole de cet homme sans cœur, qui a hélas gardé le pouvoir de faire chavirer le sien...

UNE DANGEREUSE SÉDUCTION, *Kate Hewitt* • *N°3393*

Lorsque son employeur la charge de se rendre sur une île privée de la Méditerranée pour y expertiser une collection d'art, Grace sent l'angoisse s'emparer d'elle. Car s'il y a bien une chose que la vie lui a appris, c'est que le décor le plus paradisiaque peut cacher la pire des prisons et les plus sombres des secrets… Décidée à accomplir sa tâche au plus vite, Grace sent pourtant ses résolutions vaciller quand elle se retrouve face à Khalis Tannous, le ténébreux propriétaire de l'île. Un homme très séduisant qui lui inspire aussitôt un désir fou. Un désir auquel elle il lui est interdit de s'abandonner...

UNE PASSION EN TOSCANE, Chantelle Shaw • *N°3394*

Lorsqu'elle se réveille dans les bras de Dante Jarrell, son troublant patron, après une nuit de passion aussi enivrante qu'inattendue, Rebekah n'a qu'une idée en tête : fuir le plus vite possible. Car depuis qu'elle a été trahie par celui qu'elle devait épouser, elle se l'est promis : plus jamais elle ne s'engagera auprès d'un homme sans être absolument certaine que celui-ci le mérite. Mais Dante ne semble pas l'entendre ainsi. Au contraire, il exige qu'elle l'accompagne comme prévu en Italie, où il doit séjourner un mois. Seule avec Dante sous le soleil de Toscane ? Avec angoisse, Rebekah se demande si elle saura résister, cette fois, au pouvoir de séduction de ce play-boy qui ne peut lui offrir ni l'amour ni la famille dont elle rêve…

LE PLAY-BOY DE SANTA CHRISTOBEL, *Maisey Yates* • *N°3395*

- La couronne de Santina - 6ème partie

Depuis que la famille royale l'a rejetée pour avoir donné naissance à un enfant illégitime, Carlotta Santina se tient aussi éloignée que possible de la Cour. Une décision qu'elle n'a jamais regrettée, tant elle aime son petit Luca, mais qui l'emplit néanmoins de tristesse. Aussi, lorsque son père lui demande d'épouser le prince Rodriguez pour assurer l'avenir de Santina, Carlotta décide d'accepter, avec l'espoir de renouer avec sa famille. Même si, pour cela, elle doit partager la vie de cet homme insupportable et arrogant… mais dont elle n'arrive pas à détacher son regard. Dans ces conditions, ne prend-elle pas un risque insensé en liant son destin à Rodriguez, qui ne compte abandonner aucune de ses habitudes, et surtout pas ses maîtresses, pour leur mariage de façade ?

Attention, numérotation des livres différente pour le Canada : numéros 1823 à 1829.

Composé et édité par les

éditions HARLEQUIN

Achevé d'imprimer en juillet 2013

La Flèche

Dépôt légal : août 2013

N° d'imprimeur : 72707

Imprimé en France